デジタル時代の子育て

年齢に応じたスマホ・パソコンとのつきあい方

イザラ書房 IZARA

First published in German as
Gesund aufwachsen in der digitalen Medienwelt by diagnose:media, Stuttgart, Germany
kontakt@diagnose-media.org   www.diagnose-media.org

English translation by Astrid Schmitt-Stegmann.Richard Brinton and Michaela Glöckler, Editors.
This English edition published April 2019 by InterActions
37 Chandos Road, Stroud, GL5 3QT, UK
interactionspublishing@outlook.com

日本の皆さまへ

ミヒャエラ・グレックラー / 医学博士

コロナ危機は、デジタル化を大きく推し進めました。今や、私たちがどれほどデジタルのコミュニケーション手段に頼っているかは、誰の目にも明らかです。同時に、どれほど依存しているかも明らかになりました。それは大人にとっては子どもに比べるとはるかに小さな問題です。なぜかと言えば、大人はテクノロジーを分別を持って使うことができるからです。大人にとって、テクノロジーはサービスとしての側面が大きいのです。

しかし、子どもや若者の場合は異なります。彼らはまだその能力を身につけておらず、肉体的にも精神的にも、アナログの世界で集中的に自身と環境を体験すべき年齢にいるのです。それにもかかわらず、デジタルメディアを使用して、そのコンテンツに浸ってしまうのは問題です。そのため、早い時期からスクリーンメディアに触れた子どもたちや、長時間スクリーンメディアを使用している子どもや若者たちにすでに生じているダメージや、これから起こる可能性のある悪影響についての書籍や文献の数が、急激に増えています。例えば、成長期の子どもがスマートフォンを使用する際の典型的な姿勢は、身体姿勢に害を及ぼすものなので、医師達は懸念を募らせています。また、COVID-19の感染拡大で、学校が自宅学習に切り替わった結果、運動不足とスクリーンタイム増加による肥満が大きく増えたことが、数多くの研究において示されています。

ヨーロッパの多くの国において、児童精神科や電話相談サービスは対応能力の限界を超えた状態にあり、最も深刻な疾患、特に自殺の危険のある疾患だけを受けつけている状態です。そのため、集中力に関する障害、摂食障害、抑うつ、意欲障害などは治療されないままになっていることが多く、そうした症状を持つ子どもや若者たちは苦しんでいます。これらの症状が、学校での学習の遅れや引きこもり行動につながっていきます。対人関係の問題、特に攻撃性、いじめ、ネットいじめなども日常生活に支障をもたらします。

しかし、特に心配なのは、スマートフォン・コンピュータゲームにおける依存的行動が増えていることです。空いた時間すべてをそうしたゲームで埋め尽くすので、自ら考え

る創造的な活動の発展が抑制され、害されます。日本の厚生労働省の調査によると、2012年から2017年の間に、こうしたゲーム依存を含むネット依存が疑われる13歳から18歳の中高生の数はほぼ倍増しています。COVID-19パンデミックが起こった年の数字はまだ出ていませんが、さらに大きく増加したのではないかと懸念されています。

こうした中で興味深いのは、中国がすでに対策を講じたということです。最近新聞で大きく報道されたのは、中国がコンピュータ・ゲームメーカーに厳しい規制をかけ、子どもたちがゲームで遊ぶ時間を週3時間に制限したことです。それは、次世代の子どもたちの、知能や意欲の発達への懸念からです。一方で中国は経済政策として、すべての小学生にタブレット端末を持たせ、さらに就学前からスクリーン機器の使用に慣れさせることで、知能や意欲の発達を促そうとしています。

しかし、子どもたちの体や心はコンピュータではありません。健全な成長のためには、アナログの、つまり現実の環境とできるだけ積極的に関わる必要があります。創造的な思考、共感、そして自律を育む教育は、こうした能力の発達を促すことで初めて達成できます。そのためには、本物の、信頼に基づいた人間関係が必要です。

このメディアガイドブックは、こうしたことに関する情報を提供し、デジタルメディアの世界において、毎日の生活や学校生活の中でどのようにしたら子どもたちの健やかな成長を促すことができるかを示す目的で書かれました。そして子どもたちをデジタル機器の早すぎる使用から守る方法や、デジタル機器に代わる学習や余暇活動について、豊富な提案をしています。こうした情報が保護者、ソーシャルワーカー、教育者の皆様にとって役立つよう願っています。

この本を日本の読者に提供してくれたイザラ書房と翻訳者の内村真澄さんに心から感謝するとともに、多くの子どもや若者たちがこの本から恩恵を受けるよう、心から願っています。

2021年9月、スイス・ドルナッハにて

子どもを「あっちこっちの世界病」に
追い込んではいけない

村田光範 / 東京女子医科大学名誉教授

私たちが住む世界の中の生活にとって絶対に必要な条件の1つは、家族や友人といった仲間です。そもそも両親という仲間がいなければ、私たちはこの世に生れていません。私たちは仲間なしでは生活できないのです。現実世界とオンライン世界での仲間づくりには大きな違いがあります。これはどちらの世界の仲間づくりがよい、悪いといった問題ではなく、それぞれの世界が持つ特性と考えてください。

仲間づくりは人付き合いによって深みを増します。現実世界での付き合いは「人対人の付き合い」で行われますが、オンライン世界では「人対メディアの付き合い」で行われます。これが、子どもの成長にとって重要な人付き合いの大きな障害になるのです。

乳幼児の人付き合いの核心は正常な愛着形成ですが、乳幼児にスマートフォンを持たせるとスマートフォンは親代わりになり、その乳幼児の愛着の対象はスマートフォンになってしまいます。正常な愛着形成ができない子どもは正常な社会生活をすることがむつかしくなるのです。

「乳幼児がデジタルメディアを母親、あるいは父親だと思ってしまう」理由は、脳は動くものは何でも実物と認識するように仕組まれているために、デジタルメディアの画面の、とくに音声を伴っている動きを実物の動きと認識してしまうことにあります。現代人の脳は乳幼児から大人まで未だにデジタルメディアが作り出す、とくに音を伴う画像を本物（現実世界でのでき事）だと認識する仕組みになっているのです。

現実世界での経験豊富な大人は現実世界とオンライン世界を誤認識することなどあり得ないと思ってはいけません。大人でもデジタルメディアが作り出し、しかもそれを自分で操作できる精緻な3次元画像の音を伴う世界（特殊なメガネやゴーグル＋イヤホン＋操作ボタン・ジョイスティックなどを介して見聞きし、操作することが多い）を経験して現実世界に戻ると、どっちが本当の世界か分からなくなってしまうこともあるのです。これを代替

世界障害（病）（alternate world disorder：私なりに訳せば「あっちこっちの世界病」）といっています。子どもを「あっちこっちの世界病」に追い込んではいけないのです。

小学生以降の大きくなった子どもにとっては、正常な社会性を身につけることが極めて重要です。正常な社会性を身につける際に仲間との付き合いが必要ですが、この付き合いが「人対メディアの付き合い」を介したものになると、大きな障害が生じるのです。例えばその特性としてオンラインがもたらす脱抑制、つまり自己中心で行動に抑制力がなくなる、ということが生じます。

小学生以降の子どもは社会生活が複雑になり、現実世界での人付き合いが多くなります。この子どもたちが「人対メディアの付き合い」に慣れてしまうと、面倒な「人対人の付き合い」を避けて、自分本意で自由気ままな「人対メディアの付き合い」を求めてオンライン世界へ逃げ込むか、現実世界の中に「人対メディアの付き合い」を持ち込んでトラブルを起こすことになります。これではその子どもは正常な社会性を身につけることができず、一生を通じて楽しい生活を送ることがむつかしくなるのです。

保護者と社会はデジタルメディアが乳幼児にとっては親代わりになりうること、そしてその特性であるオンライン脱抑制効果が子どもの成長に与える悪影響を充分に理解した上で、子どもが正常な愛着形成と正常な社会性を身につけるまでは、デジタルメディアを出来る限り避けなくてはなりません。具体的には子どもの成長を見極めながら「デジタルメディアを与えない」、あるいは「デジタルメディアの使い方を制限する」ことです。そして、「人対人の付き合い」を介して正常な愛着形成と正常な社会性が身についた子どもはデジタルメディアを正しく使うことができるのです。これこそがこの本がいいたいことなのです。

デジタルメディアと電磁波の問題について私自身は正しい答えを持っていません。ただ、デジタルメディアの需要に応じて、デジタルメディアから発生する電磁波は今後しばらく増加の一途をたどると思っています。電磁波による健康障害が誰にでも分かる状況になってからやっとそれに対策を講じ始めるというのが今までの歴史です。デジタルメディアが発生させる電磁波の人体に対する影響については、誰もが納得する科学的証拠を積み重ねることが解決の鍵だと考えています。

2021年9月

目次

序文

ミヒャエラ・グレックラー / 医学博士

デジタル化の話題を目にしない、もしくは耳にしない日はないくらいです。今後20年のうちに、現在の職業の60 〜 70％が電子機器やロボットに取って代わられると予測されています。ですから、多くの親が「子どもたちはそのような世界に向けて成長しているのだから、最初からこのテクノロジーに慣れ親しんで何が悪いのだ。早いほど完全に使いこなせるようになるだろう」と思うのも当然です。そして公教育政策は、まさにこの方向にむかっています。

ここで見落とされているのは、人間の意識によって操作されるテクノロジーが、その人間の意識の発達に非常に強く影響を与えるということです。これは、10代後半の若者や大人にとって、もし彼らの脳がアナログの、つまり現実の世界で健全に発達する機会を得ていれば、問題となりません。しかしこのプロセスをまだ完了していない成長期の若者たちにとっては、別問題です。特に科学、医学、発達心理の分野からますます警告の声があがっています。

多くの研究結果や大規模なメタスタディが示唆しているのは、幼稚園や学校における早すぎるデジタル化には副作用や危険性があるということです。前頭葉の発達の障害や、それに関連する自律的な思考・制御力の障害、姿勢への影響や目の障害、共感力の低下、言語表現能力の欠落、ソーシャルネットワークへの依存や依存症の危険です。また、電子スモッグ（人体に悪影響を及ぼす可能性がある電磁波）が神経系に及ぼす影響については、それがあきらかであるにも関わらず、まだ十分な注意喚起がなされていません。小児期と思春期には神経系が大人よりもまだずっと敏感に反応するのです。

スティーブ・ジョブズ、ビル・ゲイツ、ジェフ・ベゾスなどの IT 界の巨人たちが、自分の子どもにはスマートフォンなどへのアクセスを許可しなかったこと、また統計によると、学者の子どもたちは、スクリーンの前にいる時間が他の子たちよりもはるかに少ないという事実についても考慮するべきです。

ヒューター教授のような発達神経学者たちや、ケンブリッジのマサチューセッツ工科大学デジタルビジネス・ディレクターであるマカフィー氏のような経済専門家は、次の点で同意しています。情報技術によって規定される未来の世界で何よりも必要となるのは、創造性、社会的能力、そして企業家的な思考力と行動力である、と。

実際、アマゾンのアジアにおけるライバルであるアリババを作った中国の起業家ジャック・マーは、ダボスの世界経済フォーラムでずばり述べました。「知識なんてコンピュータにアクセスすればボタンひとつで得られるのだから、知識を詰め込むのではなく、学校では"価値観・信頼・独立した思考・チームワーク"を教えるべきです。そして芸術、文化、音楽、スポーツ等創造的な科目にもっとスペースを与えるべきです」。

そしてこのような創造的で企業家的な能力の発達の基盤は、デジタルの世界ではなく現実の世界の中にあるのです。私たちはこのパラドックスについて考えなければなりません。ソーシャルスキル、創造性、想像力豊かな思考の発達には、人々との直接的な交流や、コンピュータではなく異なった考え方をする人々との議論が必要なのです。では解決策はどこにあるのでしょうか?

こうした知識を知っているだけでは、日常の家庭生活をうまくやっていくのに役立ちません。スマートフォンは欠かせないものとなっているばかりでなく、しばしば争いのもとにもなっています。必要なのは、小児期・思春期の子どもたちをそれぞれの年齢に応じて導くための明確な情報及び実際的なヒントです。それらを基にして起こりうる害を回避するのです。それがこのメディア・ガイドブックの目的です。この本には、子どもや若者がメディア・テクノロジーの時代に健康的に参入するには何が必要か、が書かれています。

多くの専門家や組織が、この目的のためにメディア専門家や教育者たちを側面から支援してくれています。それは、このガイドブックに支援と寄付をくださった方々のリストに示されている通りです。彼らを結びつけるものは、若い人たちへの愛と、大きな責任感です。私たちは、できるだけ多くの子ども・若者たちが健康に育つよう願っています。そうすれば彼らはデジタルの未来に適確に対応し、人生で遭遇する課題に立ち向かう準備を整えることができるでしょう。

2018年9月、スイス・ドルナッハにて

なぜこの本を
書いたのか

第 1 章　なぜこの本を書いたのか

1.1　子どもの発達に沿ったデジタルメディア教育

「子どもは大抵、自分の欲しいものはわかっているが、

自分に必要なものはわかっていない」

イェスパー・ジュール[1]

次の言葉にうなずかれますか？

小さい子どもは、テレビやタブレットのスイッチがオンになると、すぐさまそれに夢中になって静かになる。

その隙に私たちは

- 仕事を終えることができる
- 深呼吸してリラックスできる
- 家族と長距離ドライブをする時に、ストレスを感じなくてすむ
- 絶え間ない要求にイライラしなくてすむ・・・

そうして大きくなった子どもたちは、携帯電話を片時も離さなくなります！

- ちょっとは台所を手伝ってくれない？ ── 今は無理！
- いったいいつ宿題やるの？ ── 後で！
- まだ起きてるの？もう11時過ぎてるよ ── だから何？
- 食べてる時くらい携帯を脇に置いたら？ ── うーん、え？何か言った？

しかし、以下についてもうなずかれるのでは？

- 子どもは現実の世界のいろいろなもので長時間遊ぶことができる
- ファンタジーの世界を創りあげ、新たなものを創造的に考えだすことができる
- 社交的で他の子どもたちと仲良くできる、チーム意識がある

1　デンマークのファミリーセラピスト

子どもはある程度の年齢になって初めて、デジタル・テクノロジーや未来の新たなデジタルメディアに接する方がいいのです。責任を持って適切に使用できるまでは、そうした機器にさらされるべきではありません。それを訴えるのがこのガイドブックの目的であり、私たち親の願いでもあります。ではどうすればいいのでしょうか？ できるだけ早い時期に子どもたちがデジタルメディアに接し、使用法を学ぶ方がいいという風潮の中で、この本の目的はどのようにしたら達成できるでしょうか？

この本は、そうした疑問に関する議論を通して、読者を導いていきます。
スタートとなるのは、重要な次の問いです。

子どもや若者たちは、健康な発達のために何を必要としているのか？
研究によると、子どもたちが若者や大人になった時に、デジタルメディアを適切に責任をもって使用するための一番の土台となるのは、健全な "脳の" 発達だということです。ここで次の問いが浮かびます。

デジタルメディアは脳の健全な発達を促進するのだろうか？
それとも妨げるのだろうか？
さらには障害さえもたらすのだろうか？

教育者、小児科医、デジタルメディアの専門家たちは警鐘を鳴らしている

今日私たちは、スクリーンメディアが特に乳幼児に悲惨な影響を及ぼすことを知っています。使えば使うほど発達を阻害する要因となるのです[2]。

乳幼児は早くも、依存症の初期兆候に似た行動を示します。それに加え、脳の発達障害が起こりやすく、それが致命的な結果をもたらすこともあります。

さらに年上の子どもの場合も、スクリーン機器の使用がより頻繁になり、彼らが危険にさらされているということが2017年に、ドイツ連邦薬物委員会のBLIKKメディア研究機関（子どもと青少年のメディアとの付き合い方の研究機関）[3]の調査によって示され、話題に

2　第2、3、4章参照
3　出典1参照

なっています。調査によると、こうしたデジタルメディアの頻繁な使用が、発話の阻害、注意欠陥、集中力の欠如、睡眠障害、多動、攻撃性、読み書きの障害まで引き起こす可能性があるとのことです。

子どもには、12歳以降初めて、徐々にそして適度にスクリーンメディアに触れさせ、自分ひとりで適切に使用できるようにさせるのがいいでしょう。

車の運転、喫煙、飲酒に年齢規制があるように、現在デジタル・ネットワーク・メディアの使用にも年齢規制を設けるべき多くの要因が存在します。

発達心理学者や神経生物学者は何と言っているか

発達心理学と神経生物学の分野では、かなり前から子どもの脳の健全な発達の要件が研究されています。子どもの感覚、特に脳は、子ども時代が ――走る、登る、でんぐり返しをする、バランスをとるなどの―― 動きに満たされていればいるほど、そして子どもが自然環境の中で実際に他の人間・動物・植物たちと密に接すれば接するほど、よりよく発達するというのです。

前頭葉のニューラル・ネットワーク（神経回路網）の分化と成熟には、20年以上が要されます。ここで焦点となるのは読み書き計算の習得で、その力によって新たな事柄の記憶や、より分化した精神活動が可能となります。

健全な脳の発達のためには、子どもは何歳であれ、その年齢特有のプロセスを経て年齢に応じた能力を発達させる必要があります。それについては、ここから先の章で記述していきます。どの発達段階においても、決定的なのは下記の問いです。

デジタルメディアには様々な魅惑的な可能性があるが、
それを使用することは、その子どもの内的な成熟度に適したものだろうか？
発達への妨害、さらには障害を引き起こす可能性はないのだろうか？

デジタルメディア教育は子どもや若者の発達段階に応じてなされるべきなのです。

これは以下のことを意味します[4]。

「コンピュータの無い子ども時代というのが、デジタル時代に歩み入るための最善のスタートだ」というゲラルド・レムケとインゴ・ライブナーの主張は、決して逆説的ではありません。子どもへのデジタルメディアの影響を減らし、代わりに体を動かし自然を楽しみ、アナログの（つまり現実の）ものに接するよう促せば、それは子どもの脳の発達を促進することになります。長じてからデジタルメディアを使いこなすためには、高い認識能力が必要となるのです[5]。

トイヒェルト・ノート

早期のデジタルメディア使用は短絡的で危険を伴う

ですから、世間で広まっている「早い時期から子どもにデジタルメディアを使わせなければ、世の中について行けなくなる」という考えは、ひどい過ちなのです。それは教育・神経生物学の研究結果に基づいたものではありません。家庭や学校におけるごく早い時期からのデジタルメディア使用がその子の未来を拓くという考えは、短絡的な考えで危険性が高く、逆効果だといえます。

そうした見地は、デジタルメディア産業や彼らのマーケティングの思惑をベースに、無批判にまかり通っています。デジタルメディア産業は進歩というコンセプトを使い、早い時期からのデジタルメディア使用を促しています。圧力団体として働きかけながら、彼らは政府の省庁レベルにまでそのコンセプトを押し通しています。前述のレムケとライブナーによると「デジタル製品を日常に浸透させようという、デジタルメディア産業の際限ない野望が存在している[6]」ということです。

逆説的に聞こえるかもしれませんが、科学的な研究結果によると、
人生のあまりに早い時期からのデジタルメディア視聴は、後にデジタルメディアを使いこなすのに必要な鍵となる能力の発達を阻害します。

4　第1章1.2の項参照
5　Gertraud Teuchert-Noodtt のインタビュー2016『Digital media are a great danger for our brain』より
6　出典2参照

1.2　現実の世界で子どもの体験を高める

親として私たちが子どもに望むのは、「子どもたちには、現実の世界とデジタルメディアの世界の両方に、リスクへの自覚を持ちながら適確に対処する方法を学んでほしい」ということでしょう。しかし、デジタル機器を健全な判断力を持ってひとりで操作できるようになるために、人間はどのような発達段階を経る必要があるのでしょうか？

また、親として私たちは子どもたちの中に「思春期になる頃に実ってほしくない種」を今まくことがないよう、何ができるでしょうか[7]？

バーチャルな世界に対処するためには現実の世界への対処が基盤となる
新たなスクリーンメディアは、子どもの生活においてテレビやビデオにとって代わるのではなく、テレビやビデオに追加されるものです。ですから子どもたちがスクリーンの前に座る時間は増えています。バーチャルな世界がますます現実の世界にとって代わり、それに伴い現実世界での体験がますます押しのけられているのです。

しかし、子どもは現実世界の中で身体的・感情的発達を遂げていく必要があります。ここには言葉の発達や、全身を使った運動能力や指先の器用さなどといった粗大・微細運動能力の発達、あらゆる感覚の鋭敏化、現実世界での試行錯誤、社会的関わりにおけるルールの習得、その他多くの要素が含まれます。ですから「デジタルメディアの使用のせいで、現実世界の中で子どもが生物学的に必要な発達段階を十分に体験することができない場合、それは問題だ」という見方は一般的に正しいのです。

例を挙げましょう。もし、あなたのお子さんが他の子どもたちと関わる体験を十分に持たなかったとしたら、例えば共感力の欠如など、社会性に関する発達が不十分になる可能性が生じます。他の子どもたちと関わる体験は、他者の思いを察して他者のことを考える学びなどにつながるからです。

一方、もしあなたのお子さんが他の子どもたちとの社交の中で常に拒絶され、思いをく

7　p16、p97参照

21

み取ってもらえないと感じたならば、FacebookやWhatsAppなどのバーチャルな友人たちとのコミュニケーションが、その代わりとなってしまうでしょう。それによってデジタルメディアの閲覧が増える可能性があります。

また子どもが、友だちや親と関わって何かに十分取り組む機会を持てないと、パソコンやタブレットを使って自分の望みをバーチャルなアクション・ゲームやロール・プレイング・ゲーム上で満たそうとする大きな危険が生じます。それらは結局、子どもが自分の欲求を満たし、人と関わる体験を画面上で代替しようとする、無益で不健全な試みなのです。デジタルメディアの使用は、すぐに問題を生じさせます。つまり、デジタルメディアの視聴が手に負えなくなってしまうのです。

多くのデジタルスクリーンメディア・アプリにつきものの依存の可能性が、そうした行動をさらに強化してしまいます。子どもたちはまず、身体の面でも心の面でも現実の世界を体験していく必要があります。現実の世界が、基本的に人生を決定づける世界であることに変わりはないのです。

ここまででわかったこと：子どもは、各年齢で生物学的に必要な発達段階を経験して初めて、適確にそして有意義にデジタルメディアを使用する能力を発達させることができます。

重要なことは？

重要なのは主に、子どもたちに様々な機会を与えてあげることです。感覚を試し、身体を動かし、自然の中を探検し、仲間とコミュニケーションをとる、つまり「現実の世界に取り組んで、それを自分のものにする」機会です。あなたのお子さんが、例えばサッカーが好き、楽器を習っている、何かを組み立てたり作ったりするのが好き、といった趣味を持っているならば、スマートフォンはそう重要ではなくなるでしょう。そうした活動をしている間は使用しないでしょうし、写真を撮るなど、使うとしても補助的な使用となるはずです。そうした活動はバーチャルな世界とのバランスをとる力となり、お子さんをリスクから自然な形で守ってくれる役割を果たします。ですから親にとって重要なのは、子どもが現実の世界で何らかの活動に熱心に取り組む状況を作り出すことです。これが思春期になった時にデジタルメディアを使いこなすための、最善の基盤となります。

逆にデジタルメディアの使用を開始する時期がますます早くなると、まさに子どもが学ぶべきこと、親として私たちが願うことが阻害されるわけです。ですから子どもたちをバーチャルな世界にあまりにも早くさらすのではなく、そこから守る必要があります。マイクロソフトの創業者ビル・ゲイツやアップルの創業者スティーブ・ジョブズ、その他ＩＴ企業のトップたちは、このことをはっきり認識していました。彼らの子どもたちは14歳になって初めて、スマートフォンを与えられたのです[8]。

デジタルメディア使用については、子どもと大人の間で合意しルールを作ることが役立ち、決定的な役割を果たす

多くの調査及び科学的研究によると、親が無条件で子どもにデジタルメディアの使用を許し、何の規制もせずにそれを奨励した場合、その子どもや若者は重大な行動・健康リスクに直面するそうです。ですから、そうしたことも考慮に入れるべきなのです。何の規制もせずにデジタルメディアの使用を許可することは、家庭や社会全体に負荷をかけ、その機能を弱めることにつながります[9]。自分を制し強い欲求を我慢する能力は、思春期にはまだ発達途上です。ですからどんな条件のもとに使用が許されるのか、もしくは許されないのかについて、境界線を引き合意を形成しておくことは、お子さんのために必要

8　参考：www.nytimes.com/2014/09/11/fashion/steve-jobs-apple-was-a-low-tech-parent.html?_r=0 及び
　　www.weforum.org/agenda/2017/10/why-gates-and-jobs-shielded-their-kids-from-tech.
9　第３章及び第７章参照

な安全策なのです。

親は特に、幼児にはそうしたデジタルメディアを与えるべきではありません。理想を言うと、子どもは12歳まではスマートフォンやタブレット、そしてコンピュータ無しの環境で育つ方がいいのです。まずは自分たちの周りの現実の世界に関する能力を高めていくべきなのです。

確かなのは次のことです。デジタルメディアから子どもや若者たちを、ずっと遠ざけておくことはできません。しかし、そこから来る変化や影響に、彼らを一人きりでさらすこともできません。子どもたちは常にマスメディアから、また特に友人たちからデジタルメディアの誘惑を受けています。子どもにスマートフォンやタブレットを買い与える場合、自分の子どもがリスクにさらされるのだということを、真剣に考えるべきです。

ですから、早い時期から境界線を引き、できるだけ子どもを守るというのが責任ある態度だといえるでしょう。例えば、コンピュータ・タブレット・スマートフォンをそもそも使用していいのか、いいのなら一日にどれくらいの時間使用していいかについて、はっき

りとしたルールを決めておくのです[10]。そのためには親が自分の子どもの発達段階についてしっかりと感じ取る力と、子育てにおけるスキルが必要になります。しかし大切なのは、第1章1.3の項で詳しく述べられているように、親がどのような手本を示すか、ということなのです。

> 「基本的には、境界線を引き態度を明確にすることです。愛情を持って褒めたり励ましたりしながら子どもたちと常に話し合い、自分の姿勢をはっきりと示し、それを守り通すのです[11]」

カタリーナ・ザールフランク

境界線を引くのが遅すぎるケースが多い

子どものインターネット使用がすでに手に負えないほど長時間になって初めて、それを制限しようとすると、必然的に子どもと衝突し揉めることになります。親がその制限を押し通せるとも限りませんし、子どもが自分で使用を管理できるとも限りません。

多くの教育者が次の点で同意しています。子どもは、適切な時期においては境界線やルールを欲しています。明確さを欲していて、自分の立ち位置を知っていたいのです。境界線は子どもに枠組み、安定性、安心を与え、また話し合いを引き出します。境界線が無いと、安心感が欠如し、子どもから安定性や抑制の力が奪われることになります。まだほんの小さい子どもにも境界線は必要で、赤ちゃんでさえ、両親の反応から基本的なルールを読み取っているのです。

境界線を引くのに、決まったやり方は無い

何が重要で、どんな境界線が意味をなすのか、それをどのように使うのかを決めるのは親の仕事です。子どもが適切な時期に、何が許され何が許されないかを理解しておくと、後々口論することが減り、子どもにとってそれが当然のこととなるでしょう。しかし、いっ

10　詳細は第4章4.3、第5章5.3、第6章6.3の項参照
11　Katharina Saalfrank 2006、出典32参照

たん家族で決めた境界線がふさわしいものでなくなる場合もあるので、特に子どもたちが成長するにつれて、適宜見直していく必要があります。

境界線は、子どもの年齢によって変わります。特に、子どものその時点の発達段階に何が必要だろうか、と考えるべきです。子どもが何を望んでいるかよりも、子どもの発達段階に必要なものが優先されなければなりません。

そうすることで、子どもはひとりで健全にデジタルメディアを使用できるようになり、デジタルメディアのリスクからも、かなりの部分が守られることになるでしょう。

専門家のおすすめは？　3 - 6 - 9 - 12 の法則[12]

フランスの心理学者セルジュ・ティスロンが、発達段階の典型的な区分と、それに応じたデジタルメディア使用許可のめやすについて述べています。親は、まずこれをデジタルメディア教育の指針とすることができます。

セルジュ・ティスロン

それは、3歳以下の子どもにはスクリーン機器を使わせない、6歳以下の子どもにはビデオゲームをさせない、9歳以下の子どもには監督なくインターネットを使わせない、12歳以下の子どもにはソーシャルネットワークサービスを使わせない、というものです。

この本は、多くの面でティスロンの主張に沿った内容となっていますが、その中には「12歳になるまではデジタルメディア使用についてのルールは親が決めるべきで、子どもと一緒にルール作りをするのは12歳以降」というものも含まれています。

境界線とルールは妥協案

デジタルメディアに伴うリスクなしで成長するのが、特に12歳までの子どもにはベストです。科学もその考えを明白に支持していますが、政治的な決定となるとそこがあまり考慮されていません。

家族として現在の風潮や社会のプレッシャーに逆らうのが難しい場合は、部分的に受け入れて妥協する必要が生じるかもしれません。

ですから、このデジタルメディア・ガイドブックのデジタルメディア使用についての推奨事項は全て、おそらく分別のある中庸の道、いざという時の代替案ということになるのかもしれません。しかし、以下のことは明らかです。科学的な見地からすると、デジタルメディアの使用を許すという行為は、子どもを健康や生物学的発達面のリスクから守っていないことを意味するのです。

12　https://healthnwellness.co.uk/children-and-screen-time-the-3-6-9-12-rule-you-need-to-know/

1.3 親として子どもにどのような助言を与えるか

「子育ては無意味だ。
結局子どもは親がすることを全て真似るのだから」
作者不詳

親は手本

親は子どもの手本です。親が子どもの手本となり、それが子どもの行動・考え方・感情を形成します。親の手本ほど子どもに影響を及ぼすものはありません。ですからそれが、子どもの健全な発達を大きく促す場合もあれば、大きく損なってしまう場合もあるのです[13]。

特に親として重要なのは、常に自分がスマートフォンやインターネットに夢中にならないようにすることです。夢中になると、子どもと過ごす時間もどんどん少なくなってしまいます。

13　Saalfrank 2006、出典32参照

28

子どもと一緒にいる時は、意識を完全に子どもに向けてあげて下さい。スマートフォンやタブレットは、妨げになります。子どもに多く話しかけるほど、また言葉によらないコミュニケーションを多くとるほど、子どもの言語能力・思考・感情が発達します。テーブルを囲んで食事を共にする時には、家族全員スクリーンメディアは禁止とするべきです。

親は、自分のデジタルメディアの使用を簡単に記録することができます。スクリーンメディア、例えばスマートフォンの使用を記録し管理するアプリがあるのです。

アップルの iOS 12以降のスマートフォンには、Screen Time 機能と App Limits 機能がついています。その他にも「スマホ管理アプリ」で検索してみてください。

親はガイドでありサポーター

親は手本となるだけではいけません。子どもたちがスクリーンメディアを使ってやっていることにも興味を持って下さい。例えば子どもたちがやっているゲームに。時間をとって、子どもと一緒にデジタルメディアが提供しているものを体験してみます。そうしてこそ、そこで気づいたことや、子どもがまだ理解していないことについて話し、説明することができるようになります。

そうすると、親子関係にとてもポジティブな影響が生じるかもしれません。子どもとの話し合いは、体験したスクリーンメディアの内容や性質についてのあなたの考えを伝える機会となります。

思春期の子どもたちはサポートを必要としています。親は、何かを一緒にやることで現実世界での体験を豊かにしたり、下記のような基本的問いについて子どもと話し合ったりすることができます。

- 携帯電話は実際どれくらい必要不可欠なのだろうか？

- スマートフォンやタブレットが無い生活、もしくはそれらを頻繁に使用しない生活は、どのようなものになるだろうか？

● そうした生活を少しの間やってみようか？

親はデジタルメディアの管理人

親は、様々に異なるデジタル機器（スマートフォン、タブレット、ルーター、PC など）の技術的な可能性について知っておく必要があります。しかしそれよりも大事なのは「これらの機器は本当に子どもたちにふさわしいのか？」という問いを持つことです。もし既に、あなたの子どもたちがこれらの機器を使用しているならば、何ができるでしょうか。例えばデジタル機器を子ども部屋には置かないなど置き場所を考慮したり、フィルター・ソフトウェアを使用したり、子ども用の安全プログラムをインストールすることなどが[14]、子どもをリスクから守る上で大変重要です。

巷でデジタルメディア使用のリスクが知られるようになってきたからこそ、子どもとそうし

14　第6章6.5の項、出典32参照

たリスクについて、またどうやってそうしたリスクを回避できるかについて話し合うことが必要なのです[15]。

子どもや若者を守る法律上の規制は、国によって異なります。ドイツには青少年保護法[16]という法律があり、例えば以下の文面が入っています。

16歳以下の子どもや若者が、親や祖父母から携帯電話やスマートフォンをプレゼントされた場合でも、そのスマートフォンで子どもが何をするかに関しては親が責任を持つ。従って、親は権利と共に、原則的に子どもの行動を管理する義務を持つ。

法律上の規制については、第7章8章でさらに論じています。

15　第2章及び第7章参照
16　Youth Protection Act

子どもたちを
電磁波から守る

「生まれてすぐの時期」から
真剣に考えなければ
ならないこと

第2章　子どもたちを電磁波から守る
「生まれてすぐの時期」から真剣に考えなければならないこと

2.1　携帯電話の電磁波の生物学的な作用

40年以上にわたる徹底した調査によると、安全基準以下であっても、電磁波を浴びると人間の健康に大きなリスクが生じるそうです。同様の害は動物や植物にも及びます。

電磁波による健康被害

電磁波の影響による健康リスクの多くは、いままで過小評価されたり無視されたりしてきましたが、科学的な調査により、最近になって、ますますはっきりした証拠が提示されるようになりました。特に、安全基準以下であっても電磁波を継続的に浴びることは、健康リスクにつながる主な要素です。Wi-Fi、Bluetooth、UMTS などの電磁波を発する機器の使用がますます増加した結果、多くの人たちが危険な状況にさらされています。こうしたリスクのどれくらいが既に現実になっているかについて、医療保険会社の年間統計調査が示しています[17]。

17　出典 3、4参照

スマートフォンなどのモバイル通信の電磁波が引き起こす健康への影響・行動リスクが、特に子どもや若者の間で増加してきています。子どもの学業成績が低下するということが既に起こっているのです。

世界中で警鐘が鳴らされている。モバイル通信産業からも

既に何年にも渡り世界規模で、医師たち、科学者・医師・環境団体による連盟、欧州の環境団体、欧州評議会、欧州議会その他多くの組織が、モバイル機器の電磁波による健康リスクについて警鐘を鳴らしてきました。そして、例えば電磁波の抑制や、子どもや若者を守るための厳重な保護対策を求めてきました。ドイツ連邦放射線防護局も、携帯電話などの電磁波による健康リスクは除外できない、と提言しています[18]。

- ●ワイヤレス技術を使わなくてもすむ場合は、ケーブル接続を利用する。

- ●例えば仕事などで人々が多くの時間を過ごす空間の近辺には、
  Wi-Fi のセントラル・アクセスポイントを置かない。

警告の声は、通信産業自体からも上がっています。

メーカー各社は、自社の安全の手引きの中で、モバイル機器は身体から最低限の距離を保って使用するよう指示しています。そうすることで電磁波被ばくの法的な安全基準を上回らないようにしてほしい、ということです。

例えば、ブラックベリートーチ（Blackberry Torch）9800というスマートフォンの場合、身体から最低25ミリメートル離して使用する、特に妊娠中の女性や若者については、おなかの胎児への被ばくや睾丸への被ばくの危険性を考えて、それを守ること、となっています。iPhone X の取扱説明書には、高周波の被ばくを避けるために「内臓のスピーカーフォン機能、付属のヘッドフォン、または同様の製品によるハンズフリー使用」を推奨すると書いてあります。ほとんどの携帯電話の取扱説明書には、似たようなアドバイスが載っています。

18　出典5参照

ドイツテレコムの Speedport Routers というルーターの取扱説明書には、下記の安全性に関する警告が載っています。

> 「Speedport の総合アンテナは、例えば無線 LAN のインストールの際などに電波信号を送受信します。電磁波にさらされるのを出来るだけ最小限に抑えるために、寝室や子ども部屋、またリビングルーム周辺に Speedport を設置しないようにして下さい」

2017年にフランスの全国周波数庁が開示した報告によると、2015年に数百の携帯電話を調べた結果、機器を身体に接触させて使用した際に、10個のうち9個が政府の定めた電磁波基準を越えていたとのことです。フランス政府は、訴訟によって圧力がかかるまで、この結果の開示を拒んでいました。

多くの国で（特にフランス・ベルギー・イスラエル・インドにおいて）こうした警告が、子どもの安全のための様々な法規制につながりました。

短期的影響
モバイル通信機器による電磁波が、多くの子どもや若者に及ぼす短期的な生物学的影響は、特に次の面で明らかです。

- 頭痛の増加や持続、疲労や消耗、寝つきが悪くなる、睡眠が妨げられる
- 興奮、イライラ、神経質、抑うつ傾向
- 記憶力や集中力に関する障害、目まい、耳鳴り
- 学習・行動における障害
- 心臓や循環器系の障害（激しい動悸）、また何らかの視覚・聴覚に関する障害

いわゆるマイクロ波症候群といわれるそうした影響は、数多くの調査によって裏付けられてきました。例えば2008年のミュンヘンの調査では、未成年の調査参加者のうち9パーセントが、モバイル通信機器の電磁波の影響を感じると答えています。ドイツ全体で考えると、その数は100万人にものぼることになります。

2016年に、BKK VBUというドイツの道路建設組合の保険会社が行った調査によると、中学1年生の子どもたちの約74パーセントが、既に定期的に起こる頭痛に悩まされているとのことです。また、最近のメタスタディによって、モバイル通信機器の使用時間が増えると、もしくは使用頻度が増えると、頭痛が大幅に増えるということがわかりました[19]。

多くの場合そうした症状は、電磁波を浴びない時間を最低2時間とるなど間を置くと消えますが、電磁波を浴びない時間を長くとらないと消えない場合も多いのです。

子どもは、大人よりもさらに保護する必要があります。なぜなら子どもの場合、大人より

電磁波の年齢別吸収度

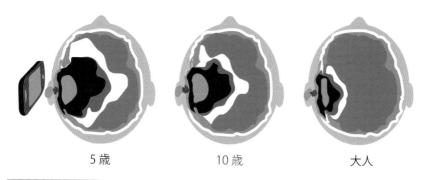

| 5歳 | 10歳 | 大人 |

19　出典6参照

も頭のずっと深いところまで電磁波が達してしまうからです[20]。

前ページの図のように、子どもの脳は大人の3倍も電磁波の影響を受けてしまいます。骨の部分となると10倍です。子どもの神経及び免疫システムは、まだ完全に発達しきっていないので、発達が阻害されやすいのです。

こうした電磁波の影響は、特に行動障害のリスクを増加させます。これについては、いくつかの調査に加え、特に2万9千人の子どもたちを対象としたWHO（世界保健機関）の調査で証明されています[21]。その調査によると、まだ胎内にいるうちに、あるいは生後7年以内に、ワイヤレス・ベビーモニターを含むモバイル通信機器の電磁波を浴びた子どもたちの間には、ADHD（注意欠如・多動症）を含む行動上の問題がかなり多く見られたとのことです。これは、多動や行動上の問題を示す子どもたちが、世界的に急激に増加している原因を、はっきりと示唆しています。

特に行動の障害に関するリスクは、母親が頻繁に携帯電話を使用していた場合や電磁波を発する機器の近くで過ごしていた場合、また子どもが7歳以前に携帯電話を使用していた場合、明らかに増加していました（約80%の増加）。これは、電磁波が数センチも身体に浸透し、繊細な胎児の発達を妨げてしまうことに起因します。

20　前ページの図参照：頭における電磁波の年齢別吸収度　出典7参照
21　出典7、Divanその他による調査参照

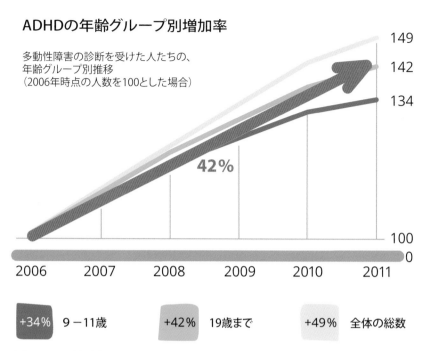

ADHDの年齢グループ別増加率

多動性障害の診断を受けた人たちの、
年齢グループ別推移
（2006年時点の人数を100とした場合）

149
142
134

42%

100
0

2006　2007　2008　2009　2010　2011

+34% 9－11歳　　+42% 19歳まで　　+49% 全体の総数

出典：Barmer 医療保険会社の2013年医療報告書

2006年には
337,000人の男子と
105,000人の女子が
多動性障害と診断された。

2011年には
472,000人の男子と
149,000人の女子が
多動性障害と診断された。

バーマー医療保険会社の2013年の報告書[22]によると、モバイル通信機器の電磁波に起因する行動障害のリスクが、既に早い時期から現れていることがわかります。スマートフォンの発売以来5年で、ADHDと診断された人の数が急増し、19歳以下の子ども・若者については42%の増加となりました（上図参照）。さらに、流産や奇形のリスクが増加しているという指摘もあります。

22　出典4参照

長期的影響

長期的な生物学的影響としては、例えば癌のリスクの増加、精子と生殖能力へのネガティブな影響、神経系の障害などがあります。

今日わかっているのは、20歳以前に携帯電話の使用を始めた子どもや若者たちが、後々悪性脳腫瘍を発症するリスクが増大しているということです。

携帯電話の使用開始年齢が早ければ早いほど、また使用期間が長ければ長いほど、腫瘍が発症するリスクが、最大5倍増大しています[23]。1993年にドイツで携帯通信機器が発売開始されて以来、癌に苦しむ15歳以下の子どもの数は毎年増え続けています[24]。ドイツ以外の国々の増加率は、さらに劇的です。

癌の潜伏期間は大人の場合最長で40年ほどですが、20歳以下の子どもや若者の場合は大人よりもずっと短く、約15〜20年です。ですから、モバイル通信機器の電磁波による癌のリスクの増大が、彼らの人生の中盤で致命的な結果をもたらす可能性があるのです。

23　Environmental Working Group環境問題に関する作業部会2009, Hardell 2009, 2011のデータ参照
　　出典8参照
24　2013年のロバート・コッホ研究所の調査によると20年間で約25%増加

2.2　予防と提案

妊娠中

● 携帯電話やスマートフォン、その他ワイヤレスモバイル機器の使用を全面的に避ける。

● 可能であれば、携帯電話やスマートフォンに代えて固定電話を使用する。それが不可能な場合は、携帯電話やスマートフォンを通常は電磁波がオフになる機内モードにして、必要な時のみ起動させる。

● Wi-Fi のオン / オフが可能なルーターのみ使用する。できれば家に Wi-Fi を設置しない、もしくは必要な時のみ短時間オンにする。自分のルーターを公に開放しない。開放すると、絶えず電磁波を発生させることになる。

● ルーターやアクセスポイント、または電磁波を発する携帯電話・スマートフォン・タブレットを使用している人たちなど、電磁波の発生源から距離をとる。もしくは、使用者に機内モードにしてほしいとお願いをする。

出産後

- 子どものそばでの携帯電話・スマートフォンの使用をできるだけ避ける。会話は短く、加えてハンズフリー機能を使用する。できるだけ頻繁に携帯電話・スマートフォンの電源を切る。

- ワイヤレスモバイル機器や Wi-Fi を使用しない。代わりに、固定電話・有線のコンピュータやタブレットなど、電磁波を発しない機器を使用する。

- ベビーモニターについても、子どもの生物学的発達に影響を与えたり、阻害したりしないもののみを使用する。

- ベビーカーに電源をオンにした携帯機器を置かない。

- 携帯電話やワイヤレスモバイル機器を使ってどうしても電話しなければならない場合は、他の人たちから距離をとる。特に子どもからは距離をとる。

- 近所の人たち、保育園や幼稚園、小学校の運営者たちに、子どもたちの電磁波被ばくを最小限にしてほしいと訴える。

子ども、若者、大人

ウィーン医療評議会が2016年に発表した以下の提言は、他の多くの組織からも支持されています。

- 原則的に次のことが言える：電話の際はなるべく携帯電話やスマートフォンを使わない。自分の電磁波被ばくを最小限に抑えること。

- 8歳未満の子どもは携帯電話やスマートフォンやコードレス電話を使うべきではない。8歳から16歳までの子どもは、緊急時にのみ携帯電話やスマートフォンを使用するべき。

- 家庭でも職場でも電話は固定電話を使用し、情報検索には有線の機器を使う。LAN ケーブルによるインターネット・アクセスであれば、電磁波は生じず速度もはやくデータの安全も守られる。絶えず電磁波を発する、ワイヤレスモバイル機器、Wi-Fi アクセスポイント、USB モバイルルーターやポケット Wi-Fi、LTE[25]を直接受信するモデム兼無線ルーターの使用は避けるべき。Wi-Fi の使用がどうしても必要な場合は、できるだけ頻繁にスイッチを切る。健康に負荷を与え、長期的には有害となるため。

25　訳者注：無線を利用したスマートフォンや携帯電話用の通信規格のひとつ

● スイッチをオンにした携帯電話やスマートフォンを身につけて持ち歩かない。後々生殖能力に影響を与えるズボンのポケットや、乳房組織・心機能・肺などに害を与える胸のポケットに入れない。使用しない時は、ハンドバッグや学生かばんなど身体から離れたところにしまう。電磁波防止機能のある携帯電話ケースを使用する。

● なるべく距離をとること：携帯電話やスマートフォンを耳につけて使用することはできる限り避ける。内臓のハンズフリー機能やヘッドセットを使う。使用が避けられない場合は、頭からなるべく離して使う、もしくは電磁波防止機能のある携帯電話ケースを使用する。

● ネット接続をなるべくオフにし、接続する際はできるだけ機内モードにする。音楽を聞く、あるいはカメラ、アラーム、計算機、オフライン・ゲーム機能については、インターネットに接続しなくても使用できる。

● 立ち上げるアプリの数を少なくするほど、電磁波被ばくは減少する。アプリの数を最小限に絞り、スマートフォンのバックグラウンドで実行しているアプリは停止する。それらは大抵、余分なものだから。モバイルデータ通信を無効化すると、あなたのスマートフォンは旧式の携帯電話のような状態になる。それでも他の人があなたに連絡をとることは可能だし、バックグラウンドアプリによる不必要な電磁波の多くを避けることができる。アプリを再起動する際は、使用を開始するまでの約5分間、スマートフォンから距離をとって待つ必要がある。なぜなら、停止されていた時間帯のデータがアップロードされ、その時に高いレベルの電磁波が生じる可能性があるため。

● 地下、エレベーター、バス、電車などの受信環境の悪い場所での携帯電話の使用は避ける。このような場所では、携帯電話から発する電波が強くなる。受信環境が悪い場合は、ヘッドセットを使用するか、できればハンズフリー機能を使う。

● 携帯電話を買う際は、SAR（比吸収率：電磁波が生体へ吸収される率）の値

が一番低いもの、OTG[26]接続機能（有線）が使えるもの、外部アンテナ端子が使えるものを選ぶ。なぜなら OTG 接続機能を使うと、Wi-Fi を使わずに済むから。つまり携帯電話に USB-OTG アダプターケーブルを付け、USB イーサネットアダプター[27]に繋げ、それをネットワーク・ケーブルに接続してルーターに繋ぐと、ルーターを介してスマートフォンやタブレットのデータをシェアできる。そうすることで Wi-Fi を使わずに済む[28]。

車の中での行動

● 車、バス、電車などの乗り物の中で、電磁波を発する機器を使用しない。特に電話は使用しない。外部アンテナがないと、乗り物の中では電磁波の値が高くなるのに加え、車の中では運転の妨げになり、公共交通機関の中では他の乗客の迷惑になる。

● 運転中の SMS（ショートメッセージ・サービス）及びインターネットの使用は、多くの国々で全面的に禁止されている。運転中に気が散ると、本人にも他の人たちにも危険が及ぶため。

26　訳者注：USB OTG（USB On The Go）とはUSB機器同士を直接接続するための規格で、USB-OTGアダプター
　　ケーブルはその規格に合った接続器具
27　訳者注：イーサネットとは機器を有線接続する際の通信規格で、イーサネットアダプターはその規格に合った接続器具
28　訳者注：やり方を動画で見たい場合は「connect phone to internet with USB-OTG-network adaptor」などの
　　ワードで検索すると数多く見つかる。

乳幼児（0〜3歳）

スクリーンメディアや
電磁波を発するおもちゃを
与えない

第3章　乳幼児（0〜3歳）
スクリーンメディアや電磁波を発するおもちゃを与えない

3.1　幼児は健全な発達のために何を必要としているか？

子どもは、これからの人生全てにおいて、創造的で想像力豊かになることが決定的に重要です。ですから子どもの実際の環境は、想像力が試されるような様々な刺激を含んだものであるべきです。それが青年期の自立した論理的・抽象的思考の基盤となるからです。

子どもが、自分で想像力を駆使して内的にイメージを描く機会を奪うもの、特に映画やスクリーンゲームなどは子どもの環境からなくすべきです。これらは子どもに創造的な活動を求めないからです。

健全な発達のためには、子どもを様々な形で刺激してくれる環境が必要です。第一に、

動きを促し、握る動作そして手先の器用さを促進するような環境です。つまり、子どもにとって健全な環境とは、動き回れるスペース、微細運動や粗大運動を発達させることのできるスペースのある環境です。

様々な感覚を健全に発達させるためには、子どもは現実の世界で直接的な体験をする必要があります。ですから、大人がなるべく頻繁に小さな子どもたちと一緒に自然の中へ出かけていくと、それは大きな助けとなります。子どもたちは、季節の変化に応じてたっぷり動物や植物と接する機会をもつことができ、そうした要素を遊びにも組み込むことでしょう。

子どもには、常にそばにいてたくさん語りかけ世話をしてくれる人が必要です。子どもと会話し、おとぎ話や英雄物語などのお話をしてあげる人です。子どもに語りかける人たちがいることが、何よりも重要なのです。この時期の子どもに録音したお話を聞かせるのは、有意義なことではありません。

親子の絆を育てるためには、一日のうち決まった時間を確保して、父親か母親が子どもと一緒に何かをする、といったことが大変役立ちます。時間の長さは、一緒に過ごす時間の濃密さ・質に比べたら重要ではありません。しっかりした絆は安心の基盤となり、子どもはそこから積極的に外の環境を探索できるようになるでしょう。

ティナ（30歳）とベルント（32歳）は言います。

「私たちの末っ子（生後6か月）が起きている間は、スクリーンメディアを使用しません。PCもスマートフォンも使わず、テレビにはカバー布をかけています。良い副作用として、上の子たち（5歳と8歳）も以前よりスクリーンを見なくなりました。昔から言われているように "去る者日々に疎し" です。子どもたちは自分たちで楽しく遊ぶのがうまくなり、ベビーシッター代わりのスクリーンにひっきりなしに楽しませてもらわなくてもよくなりました[29]」

29　出典29参照

親が、育ちゆく自分の子どもたちの本質的な発達段階にきちんと注目していれば、デジタルメディアの使用について、どんな制限が、なぜ必要なのかについて、より容易に気づき理解することができるでしょう。この章で示されているように、基盤となるのは「感覚運動統合」です。それが、後々デジタルメディアを使いこなすための必要で確かな基盤となります。そのあと2.のコミュニケーション能力から6.の選別能力までの段階を経てメディア使用に習熟していきますが（下記イラスト参照）、それはこの先の年齢グループにおける発達段階です。それぞれの段階には正当性があり、とばして次に進むことはできません。この段階を順に経ないと、子どもの発達が大きく損なわれ、害を受ける可能性が生じます。

メディアの使用に習熟するまでの子どもの発達段階[30]

30　Bleckmann 2012 出典9参照

3.2　スクリーンメディアは、子どもに大人とは異なる影響を及ぼす

"i-toys アイ - トーイズ" と呼ばれるインターネットを使用して遊ぶおもちゃ、つまり従来のおもちゃにタブレットを組み込んだものや、ベビーフォン内臓の人形やぬいぐるみへの需要が最近高まっています。乳幼児向けのおもちゃでさえ同じ状況です。

子どもたちが未来の世界に向けて準備できるようにという意図で作られた i-toys
乳幼児にますますデジタルメディアを提供しているというこの流れは、「デジタルメディアを子どもたちにできる限り早い段階から、つまり保育園や幼稚園の最年少児から使わせることが重要だ。そうすることで子どもたちはデジタルメディアに慣れ、それがデジタルな世界へ踏み出す準備となるのだから」というメッセージと巧みに連動しています。

このメッセージは多くの親[31]に、ますます受け入れられつつあります[32]。それに伴い、子どもたちがタブレットやスマートフォンのスクリーンの前で過ごす時間が、急速に増加しています。米国では2歳未満の子どもたちがすでに、一日90分スクリーンを見ています。これはあなたのお子さんにとって、何を意味しているのでしょうか？

なぜスクリーンメディアは幼児にとって害があるのか

大人にとって、デジタルメディアは世界への入り口ですが、子どもにとっては違います。子どもが幼いほど、害を受ける可能性が高いのです。子どもがスクリーンの前で過ごす時間が長いほど、発達上の障害がより深刻になる可能性があります。それはなぜでしょう？

31　ドイツでは約35%
32　miniKim-study 2014 出典10参照

脳の発達と成熟のためには、さまざまに異なった感覚体験が必要です。見る、聞く、味わう、嗅ぐ、触れる、感じる、重力の感覚、自分が動いている感覚、その他多くの感覚です。生まれたばかりの赤ちゃんは実質6〜8年かけて、こうした感覚を発達させていきます。

双方向性であってもスクリーンメディアの早期使用は、2次元的であるがゆえに制約された感覚体験を与えます。つまり、平坦で常に変わらない平面の体験です。こうした機器の操作には、ほとんどの場合、身体全体を使って動く体験が伴いません。

このような偏った努力のいらない感覚体験は、たいてい子どもの発達の機会が奪われてしまうということを意味します。動く喜びが欠けているからです。結果として脳の健全な発達が阻害されます[33]。

テレビ番組を見ることも、赤ちゃんや幼児にとっては害となります。理解できない内容や、多くの場合うるさく派手な内容に圧倒されてしまいますし、それが不安や睡眠困難につながる可能性もあります。テレビをただ背景に流しているだけだとしても、子どもとの会話やアイ・コンタクトは減ります。言語研究者たちの最近の調査結果に示されているように、親が子どもの繊細なコミュニケーションの合図に気づかなくなってしまうのです。

スクリーンメディアは、現実の世界や他の人々との直接的な関わりにとって代わってしまいます。ですから小児科医たちは、受け身で見ることも含めて子どもをスクリーンにさらさないことを推奨しています。子どもはひとりで使うか親と一緒に使うかにかかわらず、メディアの無い環境で育つほど、保育園や幼稚園卒園時までに発話能力が高くなります。

33　Gertraud Teuchert-Noodt 2017、visionsblog.info/en/2017/05/20/digital-media-great-danger-brain 参照

テレビ、タブレット、スマートフォンを使用している時間は会話のない時間

電話やチャットをしている親は、物理的にはそこにいますが、子どものことは「ついでに」気にかけているようなものです。タブレットやＰＣを使っている親も同様です。関係づくりの研究者たちは次のように警鐘を鳴らします。

テレビ、PC やタブレット、スマートフォンの過度な使用は、親子の絆を阻害します。関係性に害を与える可能性があります。

親子がしっかりした絆を結ぶには、生後すぐの数か月及び数年が特に重要です。デジタルメディアにじゃまされずに子どもとの直接的な触れ合いを持つという安定した親子関係は、その子の健全で幸福な生活のための不可欠な基盤となります。またそれは親にとっては思いがけない贈り物のようなものです。

3.3 幼児期における責任あるメディア教育のヒント

- スキンシップを多く持ちながら、親密な愛情を集中して注ぐ時間は、母子にとって大変重要。こうした時間をなるべく多く持つ。

- 赤ちゃんにとって静かな時間は大切。そうした自由な時間に赤ちゃんは自分の身体や周りの環境を探っているのだから。

- 親も休憩する必要がある。そのためには、子どもがひとりでも短時間遊べるように習慣づける。小さな子どもでもそれはできる。最初は5分、そして10分、15分と。始めは努力を要するかもしれないが、数年経つうちにその習慣は親子両方にとって良いものをもたらすだろう。

- 幼児期における環境には、機械的なメディアが無いことが理想的。子どもの近くには、テレビ、コンピュータ、スマートフォンを置くべきではない。

- 子どもにはスクリーンを使ったおもちゃは必要ない。平坦な画面や、スワイプ及びタップなどの偏った操作は、脳の発達を不適切に刺激するだけ。こうしたおもちゃがしばしば発するモバイル・ワイヤレス電磁波は、子どもの生物学的発達にとって危険で、真剣に考慮する必要がある。

- 幼児期に必要なのは、子どもに直接語りかける言葉、子どもと一緒に読んだり見たりする本、子どもが自分で歌ったり奏でたりする音楽や、子どもと一緒に聞く音楽だといえよう。

保育園・幼稚園児
（4〜6歳）

現実の世界での
体験や運動の機会を
できるだけ多くつくる

第4章　保育園・幼稚園児（4～6歳）
現実の世界での体験や運動の機会をできるだけ多くつくる

4.1　園児は健全な発達のために何を必要としているか？

子どもは、初期の多様な経験を通して、現実の世界をできるだけ多くの側面において体験することが大切です。そうした全てが、脳の健全な成長を促し、後々良く学ぶための基盤となるのです。

- 感覚と感覚運動統合をきちんと育むために、子どもは多様なそして直接的な体験を必要とする。自然に親しむこと、田舎での体験、動物との触れ合い、道具を使う体験などなど。

- 微細運動能力と創造力の発達のためには、絵を描く、工作をする、粘土遊びをするなどの多様な刺激を沢山得ることが、とても役に立つ。自分で何かを作ることができるという経験を繰り返すと、自信につながる。

- 認識力の発達は、たくさん動くことで促進される。

- バーチャルでない現実の遊びは、子どもの創造力を高める。安全ではあるが少し秘密めいた遊びの環境を探索し、そこで同年代の子どもたちとさまざまな遊びを行う機会を、繰り返し与えてあげるべきだ。

- 手ごろな広さの空間や、規則的に日常生活をおくることは、子どもに安心感を与える。

- 他の人たちとの直接的な関わりは、言語の発達を刺激する。

- 親の関心と思いやりは、親子の絆を強める。「あなたは私たちにとって大切な存在」というメッセージを子どもがいつも受けとっていることが大切。

- 他の人たちとのたくさんのスキンシップ、特に家族とのスキンシップは、あらゆる感覚を刺激する。

4.2　園児へのスクリーンメディアの影響

テレビ、PC、スマートフォン、ゲームボーイなどのスクリーンメディアは、全て目と耳の
みを活性化します。その他の感覚はほとんど刺激を受けません。これによって例えば微
細運動能力の発達が損なわれますが、何よりも損なわれるのは感覚運動統合、つまり
感覚体験を結びつけることです。

スクリーンメディアの頻繁な使用もしくは広範囲に及ぶ使用は、子どもが他の人たちと過
ごす時間にとって代わり、彼らが現実の世界と直接関わる時間を奪ってしまいます。

スクリーンメディアは他の人たちとの言葉によるコミュニケーションを減らし、現実とかけ
離れたイメージにより子どもの想像力を弱めてしまいます。落ち着きのない子どもは、最
初はスクリーンに引き付けられ、少しの間は静かになりますが、その後で落ち着きの無
さが増してしまいます。

スクリーンの前で過ごす時間が増えると子どもの活動範囲が狭くなり、動きが少なくなります。そこから様々な結果が生じますが、中でも太りすぎ、姿勢の悪化、近視がよく見うけられます。

> 「最近のドイツ連邦薬物委員会の BLIKK メディア研究機関での調査によると、保育園や幼稚園児の70%が、親のスマートフォンを1日に30分以上使っているということです。その結果、言葉の発達や集中力への弊害、多動、落ち着きの無さといったことから、攻撃的行動までが生じています[34]」

ですから、子どもがスクリーンの前で過ごす時間を制限して下さい。ここにはテレビ、あらゆる種類のコンピュータ、タブレット、スマートフォン、ゲームボーイなどが含まれます。

日本の状況については、文部科学省の令和2年度 (2020年度) 学校保健統計調査によると、幼稚園児の裸眼視力1.0未満の割合は27.90%、小学生は37.52%。いずれも40年前の約2倍の数値となっています。さらにそれが、中学生では58.29%、高校生では63.17% にまで達します。デジタルメディアの使用だけがその原因とは言えませんが、子どもの視力低下はますます顕著になってきています。

4.3　園児への責任あるメディア教育のヒント

スクリーンメディアを適切に、創造的に、十分扱えるようになるために、子ども時代に技術的な能力や知識を育む必要はありません。それより、園児には言葉や創造力の発達の方が優先されるべきなのです。ですから、お話を聞かせることや子ども向けの本、そしてほどほどであれば音声メディアが推奨されます。決まった時間に子どもに読み聞かせをしたり、寝る前に素話でおとぎ話をしたりすることは、親にとっても子にとっても楽しく、子どもには安心感を与えます。さらに、こうしたことは後々の読書の準備にもなります。

● 子ども部屋にはテレビ、PC、タブレットなどのスクリーン機器を置かない。

34　出典1、11参照

●セサミストリートなどのテレビ番組や映画は 1 日10 〜 20分に制限する。しかし毎日は見せず、例えば 1 週間に 1 度くらいは30分見てもいい、などと決める。

●もし子どもが子ども向けの映画を見たがったら、親も一緒に見ること。そうすることでその娯楽が共通の体験となり、子どもが親に直接質問したり、その体験を共有したりすることができるようになる。

●広告に注意。テレビよりも、広告の無い短い DVD の方が良い。そうすることで子どもが「あれ買ってー！」とぐずるのをほぼ避けることができる。

●祖父母にも協力をあおぐこと。そうすることで、親が決めたルールがストレス無く、もしくはより少ないストレスで守られる。子どもの友だちの親とも合意を取り交わしておくと、大変役立つ。

ルカス (10歳) とヨハナ (5歳) のシングルマザーであるナディア (35歳) は言います。

「ルカスに対して私は、片付けないとテレビを見せませんよ！という脅し文句を使いました。それは状況を本当に悪化させました。ある時点で、彼は "テレビ無し" の脅しがないと何もしなくなったのです。それは問題の解決というよりもストレスになりました。その状況からはなんとか抜け出しましたが、その状況を変えるのは大変なことでした。ですから下の子の時は、最初からそんな状況に陥らないよう注意しました[35]」

35　出典29参照

小学校低学年
（7〜9歳）

スクリーンメディアは
できるだけ使わせない
使う場合は大人が寄り添い
制限する

第5章　小学校低学年（6〜9歳）

スクリーンメディアはできるだけ使わせない
使う場合は大人が寄り添い制限する

5.1　小学校低学年の成長のステップ

読み書きがしっかりできるということは現代のデジタルメディアを使用するための前提条件です。時代が要求しているように見えるからといって、知識を習得させるために子どもにあまりにも早くからコンピュータを使わせると、結局はその子のメディア使用能力を損なう結果となります。コンピュータは本にとって代わるものではなく、本を補完するものなのです。

子どもの発達において強調されるべきは、文化的な能力の獲得です。子どもたちはこの時期自転車にもスケートボードにも乗れるようになり、泳げるようになり、道具を使って役立たせることができるようになります。また楽器が演奏できるようになり、とりわけ読み、

書き、計算することができるようになります。子どもにとって、メディアを視聴するよりも読書ができるようになることの方が、ずっと有益です。そうすることで彼らは、父や母の協力のもと、児童文学の世界を自分のものにすることができるのです。

子どもの人間関係は、家族から外へと広がっていきます。特に、同年代の友だちとの友情が、大変重要になってきます。ここで頻繁にぶつかり合いが生じます。子どもは、他の人たちを理解することや、その人たちを思いやることなどを学ぶ必要があります。

このような場合に、大人が信頼できる存在であること、そして怒りや激情や攻撃性にどのように対処するかのお手本となることが大変重要です。

子どもは自分の能力をまだ正確に評価することができません。親は、子どもが大きな過ちを犯すことがないよう守る必要がありますが、過保護になってしまうと子どもは自信を失います。過ちや失敗は、人生や学びにとって必要な側面です。障害にぶつかっても進んでいき、そしてうまく困難などを乗り越えると、子どもは自信を得て自分を正しく評価できるようになります。

5.2　心理学者・小児科医が述べる子どもの基本的な欲求

以下に挙げたものは、子どもの健全な発達に大きく貢献する基本的な要素で、小児科医たちが自分たちの見解に基づいて説明した中で、最も重要な点です[36]。

- **信頼できる愛情と安心感**
  子どもは、常に信頼できて愛に満ちた関係性を、親や周りの人々に求める。ここには、日常の生活の流れに見通しがきき、安心できるということも含まれる。

- **褒められ、認められること**
  特に学校生活において、子どもは肯定的な雰囲気を必要とする。それによって子どもは自信を強めることができる。

- **発達に即した、新しい体験**

    子どもは好奇心が強く、世界を発見したがっていて、新たな経験・考え・イメージ・感情を吸収したいと欲し、そして何よりも新たな運動スキルを得たいと願っている。育ちゆく中で、子どもは一連の発達段階を経る必要があるが、それぞれの段階にはそれに即した体験が必要となる。

- **例えば：**

    自立と責任

    どの子どもにも、その子だけの個性があり、子どもはそれを発達させようとしている。そのためには練習の場が必要で、子どもはそこで独自の責任を果たす最初のステップに挑み、練習する。

    境界線と枠組み

    アイデンティティーの健全な発達のために、子どもは明確で有意義なルールや境界線を求めている。親や養育者との絆に基づいた、子どもが尊重できるようなルールや境界線だ。

- **身体的に傷つけられないことと安心感**

    この、子どもの基本的な欲求が尊重されるべきだというのは、全く明らかなことである。しかしこの基本的欲求がたびたび無視されている状況を、私たちは世界中で目にしている。

5.3 小学校低学年児への責任あるメディア教育のヒント

お子さんが友情を育み、スポーツをし、楽器の演奏を学ぶよう促してあげて下さい。驚かれるかもしれませんが、それがコンピュータゲーム依存症、サイバーいじめ、インターネット詐欺や不適切なコンテンツからお子さんを守る最善の策なのです。そうした、子どもを生活にしっかりつなぎとめてくれるもの、達成感、真に認めてもらうことが、バーチャルな世界の"安っぽい"代替物から子どもを守ってくれるのです。

- 子ども部屋にはスクリーン機器を置かない。自分だけのテレビを持っている子どもは、持っていない子どもよりもスクリーンの前で過ごす時間が1時間多い。

- 制限時間を明確に設ける。1日あたり30分から最大45分。しかし何にもまして、子どもは毎日テレビやタブレットそして PC などのスクリーンの前で過ごすべきではない。1週間に最大でも5時間[37]。なぜなら、週に5時間以上スクリーンの前で過ごすと、子どもの読書・計算能力が損なわれるから。

- 可能であれば、PC やインターネットを使用しない。それが不可能であれば、子どもが PC やインターネットを使用する際は大人がそばにいてあげるようにする。コンテンツやどんな体験をするのかについて子どもと話すこと。そうすることで子どもがメディアを使いこなせるよう導くことができる。

- 子どもが PC を使う際に大人が常にそばにいてあげることができない場合は、PC・ノートパソコン・タブレットなどで子ども自身のユーザー・アカウントを作り、コントロールパネルかユーザー・アカウントのサイトからそのアカウントに制限をかける。

● 子どもが使用する際は、1日あたり、そして1週間あたりの時間制限ソフトウェア
を起動させ、フィルター・ソフトウェアとも呼ばれる子ども用の安全対策ソフト
ウェアをインストールすること[38]。

● 6歳から9歳の子どもには、どうしてもという場合は安全なサイトのみ閲覧を
許可する。例えば YouTube は見せない。YouTube には、子どもに不適切な
映画や広告が含まれているから。

● 子どものために特別に作られた安全なドメインであれば、子どもがインターネット
を検索しても不適切なサイトに行きつかないようになっている。いくつか選択
肢があるが、そうしたサイトやアプリにはそれぞれ長所・短所があるので、自
分がどんなものを求めているかに応じて選ぶ。ブラウザや検索エンジンについ
ては、「子ども 安全 ブラウザ」「子ども 安全 検索エンジン」と検索するといく
つか出てくる。それらの中には、誰かのひとつの機器からしかアクセスできな
いものもあれば、携帯電話を含めた複数の機器からアクセス可能で、家族で
共有できるものもある。セットアップに Wi-Fi が必要ないものを選び、それら
の機器を Wi-Fi ではなくケーブルでインターネットに接続すること[39]。

● パスワードを設定することで、アプリストアに子どもがアクセスできないようにし、
子どもが自分でアプリをダウンロードしてしまうのを防ぐ。無料のアプリにも注意。
アプリは、子どもがひとりで使う前に、常にまず親がダウンロードして使ってみる。
アプリが求める同意条項が、利用者のプライベートな領域を監視するものとな
っていないかチェックする。もしなっていれば、どんな状況であろうとインスト
ールしない。自動アップデートは常に無効にしておく。そうすることでアップデ
ートのたびに、新たな費用がかかるのか、新たな同意事項があるのかをチェ
ックできる。

● 小学校低学年では、できるだけ宿題に PC を使わせない。避けられない場合は、
校内に監督付きメディアルームの設置を要求して学校で宿題をさせる。

38　第6章6.5の項参照
39　p44参照

その際も、安全対策用ソフトウェアや大人の監督なしで PC・インターネットを使用することがないようにする。

- 小学生の間は、自分専用の携帯電話やスマートフォンは持たせない。どうしてもという場合は、電話と SMS（ショートメッセージ）の使用だけに制限する[40]。例えば定額のインターネットへのアクセスは、多くのリスクを伴うので推奨しない。

トビアス (38歳) とマリア (32歳) は言います。

「かつてヨナスに読む力がつかず苦労していた頃、"ヨナスにもっと読み聞かせをしてあげた方がいい。テレビや家庭用ゲーム機、DVD の時間を減らした方がいい" と周りのみんなから言われました。現在ヨナスには週末しかスクリーンへのアクセスを許可していません。ひどく反発するかと思いましたが、そうはなりませんでした。確かに、退屈してごねることも多かったので最初の数週間はとても大変でした。しかし今は、明確なルールのお陰でずっと楽になりました。そしてヨナスの読む力も大きく向上しました[41]」

40　第6章6.5の項参照
41　出典29参照

子どもから青年へ
（10〜16歳）

メディアを
使いこなすように
なるまで

第6章　子どもから青年へ（10 〜 16歳）
メディアを使いこなすようになるまで

6.1　思春期の子どもたちの健全な発達のためには何が必要か？

思春期は身体的にも感情的にも大きく変化する時期です。日常生活の中で頻繁に感情が揺れ動きます。社会的に守られていると感じていたそれまでの状態から抜け出し、子どもは世界の中に自分の居場所を見いだしていきます。これは何年もかかる長いプロセスです。この思春期の時期に、子どもは一連の発達ステップを踏む必要があります。

アイデンティティーを形成し、築き上げる
おそらく最も重要な課題は、自分のアイデンティティーを形作り、築き上げることでしょう。ここには、自分の身体の変化にポジティブに応じていくことも含まれますが、新たに生じてきたイライラする感情を肯定的に受けとめることも含まれます。何よりも、思春期の子どもは「私は誰 ?」という問いに満足な答えを見いだすことを求めます。幼児が立って歩くことを学ばなければならないように、思春期の若者は自分の考えをしっかり持って、それを強く主張していくことを学ばなければならないのです。

社会的な関係性を築く
思春期の子どもにとってさらに大きな発達上のステップは、社会的な関係性を築き、それに伴う責任を果たすことです。同年代の友人たちとの友情は、引き続き重要です。

自分の人生にどんな意味を見いだすのか？
思春期の子どもにとって3つ目の発達上の課題は、人生で何を達成したいか、どんな教育を受けたいか、さらにどうしたら人生の目標を実現させることができるか、という実際的な問いに関わるものです。「私の人生の目標は何で、それを実現させるために何をすべきなのだろう？」これが思春期の若者の根本的な問いで、多くの場合その問いは、次の年齢段階まで引き続き持ち越されます。

思春期の若者たちは、しばしば実際の歳よりもずっと年上に見えます。マスメディアや広告の世界によって、特に性の意識があまりにも早く目覚めさせられているのです。ですからそれに対抗する力を作り出すことが、なおさら重要です。親にとってはたやすいことではありませんが、健全なレベルの自立を許しつつも、必要な責任は担えるようにする、ということです。

6.2　スクリーンメディアの影響

10歳から16歳にかけて、子どものデジタルメディアとの関係性は変化します。子どもたちはデジタルな世界、スマートフォン、コンピュータ、インターネットに魅了され、それらすべてが彼らにとってますます重要になってきます。

- 12歳時点で、約4人に3人の子どもがひとりでインターネットを使用している。
- ソーシャルメディア・ネットワーク（Facebook や Instagram）にますますアクセスするようになり、デジタル・コミュニケーションを集中的に使うようになる。

●とりわけ、インターネット上でゲームや映画、音楽などの娯楽を探すようになる。

しかし、

もうすぐ思春期にさしかかる子どもたち、あるいはそれより年下の子どもたちは大人のような成熟した判断力や人生経験をまだ持ち合わせていません。彼らはまだ狡猾なマーケティング方法や、イデオロギーの影響が入った文章を識別し見抜くことができないのです。

生まれたときからインターネットが身近にある"デジタル・ネイティブ"世代の子どもたちは、大人よりもインターネットを使いこなせるのだ、という見方は正しくありません。その見方をすると「子どもはシステムを操作するスキルを持っているが、インターネットが提供する事柄の利点と問題点を適切に理解することはできない」という重要な事実を見誤ってしまいます。娯楽ソフトウェア格付け委員会による年齢制限システム[42]は引き続き重要ですが、子どもに無視されるケースが多くなります。思春期の子どもは、依存症の可能性をはらんでいるメディア・コンテンツから自分を守ることを学ぶ必要があります。子どもに自分専用の機器を与えると、問題が生じるだけなのです[43]。

42　米国映画協会、全英映像等級審査機構、娯楽ソフトウェア格付け委員会p124参照
43　第7章参照

www.safekids.co.uk というインターネット・ポータルサイトが、子どもや若者が直面する危険について CCCC（Content 内容、Commerce 商取引、Contact コンタクト、Culture 文化）という頭文字を使ってまとめています。

- 内容 (Content)　　　：子どもに不適切な内容、例えばポルノ、拒食症のネット掲示板、暴力表現、悪趣味なビデオ、右派・左派の過激派、悪魔崇拝など
- 商取引 (Commerce)：商業的誘惑、例えば広告、強引なマーケティング、大量の迷惑メッセージ（スパム）、ポーカーのページ、エロチックな誘いなど
- コンタクト (Contact)：偽の窓口（コンタクト）情報、小児性愛者によることばの性的虐待、実際に会って身体的な接触を持つことによる虐待など
- 文化 (Culture)　　　：いじめ、音楽データ・ゲーム・映画の違法なダウンロード、著作権違反など

著者たちが10歳から13歳の子どもに推奨するのは：

- Facebook、WhatsApp、LINE その他のメッセージアプリのサービスにおいて自分専用のアカウントを作らないこと：
  ヨーロッパでは「EU 一般データ保護規則」により、親の承諾のないアカウントは法的には16歳にならないと作れない[44]。子どもが16歳未満の場合は、アカウントを作る際に親の承諾が必要。その場合、親は子どものアカウント使用を監督・監視する法的義務を負う[45]。
- スマートフォン、タブレットなどのモバイル機器を持たない。
- 子ども部屋にスクリーン機器を置かない。

44　www.eugdpr.org の第8条参照
45　第8章8.5の項参照

6.3　健全に使いこなしていくためのヒント

この時期の子ども・若者は、自立して行動するために健全なレベルの自由を必要としますが、明確なルールもまた必要としています。厳しく禁止するのではなく、時間をかけて説明してあげて、子どもを監視するようなことはしないで下さい。デジタルメディア以外のことへの興味を促し、まだ時期が早すぎるデジタルメディア視聴に代わるような策を与えてあげて下さい。

- 思春期の子どもを持つ親へのヒント：PC を、例えばリビング・キッチンエリアに置くなどして共有する。いつ誰が使用するかについてより多くの話し合いを要するかもしれないが、そうすることで親は使用時間やコンテンツについて注意を払うことができる。

- 子どもが大人の監督なしに PC やインターネットを使用する場合は、必ず時間制限ソフトとフィルター・ソフトをインストールすること。

- やむを得ずスマートフォンを持たせる場合は、時間制限アプリとフィルター・アプリをインストールする[46]。

- 自分専用の PC・スマートフォンへのアクセスは12歳になるまでは始めない。12歳よりも遅い方がよく、遅ければ遅いほどよいが、そのアクセスが始まると同時に子どもとの間にメディア使用について、例えば1週間に7時間以内などの時間制限の同意の文書を交わす[47]。

- さらに、ルールや約束した内容が守られなかった時にどうするか、子どもと考え、話し合っておく必要がある。約束が守られなかった場合どのような罰が与えられるのかを、子どもに明確に示しておくべき。そのような罰に一貫性を持たせること。

46　www.screenagersmovie.com/parenting-apps、及び第1章1.3、第6章6.5参照
47　www.screenagersmovie.com/contracts 参照、日本語の情報については「スマホ　ルール」などのワードを入力
　　して検索

そうすることによって、子どもと対立することがあるかもしれないが、それには
静かに耐えるだけの価値はある。なぜなら、そうすることでそれよりも重要な、
ストレス、電磁波被ばく、依存症のリスクを避けることができるから。

- 基本的に推奨すること：スマートフォン、タブレットなどのモバイル機器やイン
  ターネットの使用には必ず時間制限を設け、電磁波を最小限に抑える策を講じ
  ること[48]。

- 適切に選ばれた教育的映画や学習ソフトウェアを厳選して使用すれば、子ども
  の学習は促進される[49]。

- 危険性や法的規制について子どもに教えること。子どもは、自分や他の人の
  写真・映像・音楽録音物に関して、過失責任の意識を全く持っていないことが
  多い[50]。

48 第2章2.2の項参照
49 第6章6.4の項参照
50 第8章参照

- 子どもや若者に、何をしてはいけないのかを説明すること。過失責任の領域に含まれる行為を見逃してしまうような親は、自分の子どもに対して大変無責任である。

- 夜は、子どものスマートフォンを子どもの寝室以外に置くこと。

- デジタルメディアを責任を持って使いこなせるようになるには時間がかかる、ということを理解しておく。

デジタルメディアを使いこなせるようなるためには、新しいデジタルメディアに伴う可能性とリスクについて、理解し判断する必要があります。特に長時間使用の誘惑、依存症の危険性、デジタルメディアによる監視、プライバシーの喪失、巧みに操作されてしまう危険性、電磁波のリスク、などについてです。また、どんなデジタルメディアをどれだけ使用するかを決めることも必要です。あるいは思春期の子どもが、例えばスマートフォンを持たずデジタルメディア以外を選ぶという選択肢もあります。そうすると子どもは多くのリスクから守られることになります。

6.4　デジタルメディアは長期的な視点で見ると
子どもの学びに役立つか？

子ども部屋に子ども専用の PC を置くか？
子ども部屋に置かれるスクリーンメディア機器の数が多くなればなるほど、思春期の子ど
もがそれらの機器を使う時間は長くなります。また、子どもが16 〜 18歳になって自分専
用の機器を持つようになると、持たない場合に比べはるかに多い頻度で、不適切な映画
やコンピュータゲームに時間を使うようになります。ですから、子ども部屋にはスクリーン
メディアを置かないで下さい。

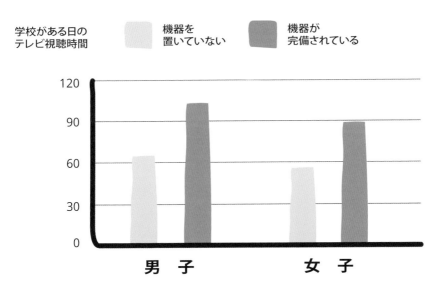

学校がある日の　　機器を　　　　　機器が
テレビ視聴時間　　置いていない　　完備されている

これは「言うは易し、行うは難し」です。

以下はお馴染みのフレーズでしょう。

「お母さんお父さん、他の子は、みんな持っているんだよ！」

親が落ち着いて理性的にノーと言うためには、何が助けになるでしょうか？

それは長い目で見ると、自分は子どものために良いことをしているのだ、という確信です。ノーと言うことによってあなたは、自分の子どもを暴力、ポルノグラフィー、いじめ、依存症などのスクリーンメディアの危険性から守っているのです。そして子どもは、実際には欲していること、ある調査によるとドイツの小学生が一番好きだと答えた活動、つまり外で遊ぶことや、友だちと会うことに、もっと時間を使えるようになるのです。

もっと年上の子どもたちが、学校の学習のために PC やインターネットを使用しなければならない場合はどうでしょう？ その際も、自分専用の機器は必要ありません。親の PC を共有すればいいのです。使用後はスイッチを切ります。

PC、テレビ、携帯電話などは、学びに役立つか？

まず一方で

調査によると、若者や大人の場合、デジタルメディアの節度ある使用は、学び
をサポートするツールとして役立つとのことです。

> 例：スペイン語のスキルをもう一度磨くための
> PC 語学学習コース、読み書き障害の人た
> ちのためのトレーニング・プログラム、深
> 海魚についての映画など

他方

スクリーンメディアの前で過ごす時間が長くなるほど、子どもの成績は落ちます。
特に科学者たちは、このネガティブな関連性について以下のように説明します。
自立して問題を解決し学んでいくために、子どもは現実世界での経験を必要とし
ています。テレビや PC、携帯電話などは、そうしたあらゆる感覚を使って行う学
びの時間を奪い、それにとって代わるものなのです。さらに、やる気を失うとい
った問題も生じます。派手でうるさくテンポの速いビデオ・クリップに慣れてしま
うと、学校の教科書がなんだか退屈でつまらないものに思えてきます。

結論

長期的な学びのために子どもが必要とするのは、成績に関するプレッシャーの無い親か
らのサポート、クラスの良い人間関係、教える内容と人間性両方の面で信頼できる教師
です。

スクリーンメディアの過剰な使用から子どもを守ってあげることは重要です。子どもの年齢
が低いほど、また使用時間が長いほど、そしてコンテンツが暴力的になるほど、スクリー
ンメディアの害が大きくなる可能性があります。上記に述べたことを理解して子どもの年
齢に合った良い使い方ができるならば、テレビや PC、携帯電話などの使用を子どもの思
考力・研究・学びに役立てることができるようになります。

6.5　セキュリティ・ソフトウェアと技術的サポート

一般的に、以下のことが言えます。

- セキュリティ・ソフトウェアのテクノロジーは、限界はあるとしても、子どもに危険なネット上のコンテンツ、詐欺、望ましくないコンテンツから子どもを守ることができる。

- スマートフォンなどには、安全対策機能が標準装備でついていてそれを起動させればいいだけのものもある。そうでない機器の場合も、ソフトウェアやアプリとしてそうした機能を簡単にダウンロード・インストールできる。

- 技術的な安全性だけでは十分でない。親は自分の子どもに、オンラインの「正しい」使用法について話す必要がある。そうすることで子どものリスクを最小

限に抑えることができる[51]。

それは特に、以下のことを意味します。

- 自宅の PC、タブレットでは、子どものユーザー・コンテンツに制限をかける。

- 時間制限ソフトウェアを使用して1日または1週間単位の時間を制限し、子ども
  用の安全対策ソフトウェアをインストールする。

時間制限ソフトウェアと子ども用の安全対策ソフトウェア

日本には2008年に制定され、その後改定されている "青少年が安全に安心してインタ
ーネットを利用できる環境の整備などに関する法律" があり、未成年者がインターネット
を使うとき、その使用を法的に制約しなければならないことになっています。

子どもが自分専用のタブレットやスマートフォンで大人の監督なしにインターネットを使い始めると同時に、実用的な時間制限ソフトウェアやアプリを子どものためにインストールして下さい。

現在手に入る時間制限ソフトウェアと子ども用の安全対策ソフトウェアのいくつかの例を次に挙げます（ここに挙げたソフトウェアが必ずしもすべて適切とは限りませんので、ご自身で判断してください）。

- 「iPhone」スクリーンタイムについて教えてください。
  https://www.softbank.jp/support/faq/view/24998

- スクリーンタイム - 自制とペアレントコントロール
  （Android 系携帯電話）
  https://play.google.com/store/apps/details?id=master.app.
  screentime&hl=ja&gl=US

- FamiSafe- ペアレンタルコントロールと位置情報追跡
  （Android 系携帯電話）
  https://play.google.com/store/apps/
  details?id=com.wondershare.famisafe&hl=ja&gl=US

- FamilyTime ペアレンタルコントロール（Android 系携帯電話）
  https://familytime.io/ja/parental-controls-for-android.html

- iPhone と Android2021用の10の
  ベストペアレンタルコントロールアプリ
  https://ja.wizcase.com/parental-control/

- フィルタリングサービス (ソフトバンク)
  https://www.softbank.jp/mobile/service/filtering/

- フィルタリングサービス (NIT ドコモ)
  https://www.nttdocomo.co.jp/service/filtering/

- フィルタリングサービス (au)
  https://www.au.com/mobile/service/filtering/

- あんしんコントロール by i- フィルター (楽天モバイル)
  https://network.mobile.rakuten.co.jp/service/i-filter/

- 中高生のお子さんを守るフィルタリング
  iPhone、Android の導入マニュアル (Norton)
  https://japan.norton.com/iphone-filtering-9886

- 安心ネットづくり促進協会
  https://www.good-net.jp

上記のような対策を施しても、子どもが抜け道を使おうとする場合があります。それを防ぐためには、以下のサイトをご参照下さい。

- 子供がよく使っている四つのスクリーン タイム抜け道の対策 (Tenorshare)
  https://www.tenorshare.jp/iphone-tips/how-to-beat-common-4-ingenious-screen-time-hacks.html

子ども用安全対策アプリのさらなる情報や、様々なアプリの使用については「子ども安全 アプリ」のキーワードで検索してみて下さい。どの検索エンジンでも見つかります。

ルーターの中にも、親のコントロール機能が内蔵されていて、それをオプションとして使えるものがあります。

デジタルメディア使用
の危険性

第7章　デジタルメディア使用の危険性

7.1　ソーシャルメディア使用に伴うストレス

2017年春に出たドイツのサウスウェストメディア教育リサーチ協会の調査[52]によると、12歳〜19歳の若者のデジタル・モバイル機器使用及び、それに伴うコミュニケーション・アプリの使用が増加しています。彼らの95％がWhatsAppというアプリを使用し、51％がInstagramを、45％がSnapchatを、43％がFacebookを使用しています。これらの電子支援サービスは、若者たちの日々のコミュニケーションの中にしっかり根付いています。子どもたちがこうしたアプリを使用する時間は、12〜13歳で1日約2.5時間、14〜15歳ではゆうに3時間を超え、16〜19歳になるとほとんど4時間に達します。

52　出典12参照

いつでも、どこにいても連絡がとれてコミュニケーションできる自由というのは、恩恵であると同時に不幸なことでもあります。若者たちは、コミュニケーションのストレスにますます悩まされています。中でも注目に値するのは、ひと月に最大3000通にものぼるWhatsApp のメッセージを読んで返信しなければならない、といったストレスです[53]。また、ノルトライン＝ヴェストファーレン州のメディア当局の2015年の調査によると、対象となった8〜14歳の子ども500人のうち、120人（24％）が WhatsApp などのメッセージサービスによる絶え間ないコミュニケーションの結果、ストレスを感じていると答えました。同じ500人のうち240人（48％）が、例えば携帯電話が宿題などの妨げになっていると答えました[54]。

多くの若者たちが、通知が来たらすぐに応答しなければならないという絶え間ないコミュニケーションの、絶対的な暗黙の要求にさらされています。この状態は朝起きてすぐに始まり、夜遅くまで続きます。常に連絡がとれて常に応答しなければならないという、この逃れられない義務のように思える仲間集団からの社会的プレッシャーは、多大なコミュニケーション・ストレスを生じさせます。しかし一方で、コンスタントにコミュニケーションがとれないと、思春期には社会的孤立や孤独を感じてしまいます。この新しいストレス状態は Fomo と呼ばれます。それは Fear of Missing Out つまり情報を逃すことへの不安という意味です。

スマートフォン・メーカーのノキアの調査によると、若者たちは自分のスマートフォンを1日に最大150回使用するそうです。毎日100通ものメッセージを読み、返信しなければならないとしたら、そうしたコミュニケーション・メディアのほとんど絶え間ない使用が、何も影響を生まないわけはありません。平均約9〜10分に1回の割合で、強制的に本来の活動が妨げられ、その結果、常に頭の中がマルチタスクの状態になります[55]。

認知と学びへの影響

マルチタスクとは、様々な事柄を同時に継続して行うことなので、注意を常に切り替えなければなりません。そのため、いわゆる注意力のストレスが生じます。例えば、コンピ

53　出典13参照
54　出典1、11参照
55　出典13参照

ュータで宿題を終わらせた学生の場合、それに要した時間のほぼ3分の2は、宿題以外のほかの事に忙しく費やされていたことになります。

若者がひとつのことに集中する時間は、マルチタスクのせいでどんどん短くなっています。ごく最近のマイクロソフトの調査によると、注意力の持続時間は2000年に12秒でしたが、2013年には8秒にまで減っています。金魚の注意力の持続時間は9秒ですから、金魚の方が1秒長いことになります。注意力の持続時間が減っているということは、集中力が落ちていることを意味します[56]。

マルチタスクは実際、注意力の障害につながる可能性があります[57]。マルチタスクをしている人たちにとって、関係のない作業をやらずにおくことはとても難しいことです。あるいは、自分の周囲や頭の中にイライラするものがあると、それを無視することがとても難しくなります。その結果、重要な課題に向かっている時に、とりわけ学びにおいて、表面的になったり無力感を持ったりします。なぜなら、ある時点で脳が疲れてしまい、刺激の多さのために吸収力が機能しなくなってしまうからです。ですから、新しく学んだことの一部しか長期記憶に留まらないことになるのです。脳は学んだことを確かなものにするために休息の時間を要しますが、マルチタスクをしているとその休息がとれないからです。

● 話す能力や触覚が鈍ってくる

平坦なスマートフォンの表面は、脳に均一的で構造を持たない触覚印象を残す。「現実世界で何かに触れたり、またそれを動かしたりすることが、これまで考えられていた以上に概念認識能力に影響を及ぼすことがわかった[58]」

● 読書量もますます減っている

本を手にとらない子どもの割合が、2005年から2014年にかけてほぼ4倍になっている。中でも本を読まない割合が一番高いのは16歳〜17歳で25％となっており、特に顕著なのは教育水準が低い思春期の若者たち[59]。

56　出典13参照
57　出典14、15参照
58　Martin Korte 2010 出典16参照
59　出典12参照

情緒的な心身相関に関する障害

集中力と記憶力への影響の他に、コミュニケーション・ストレスとマルチタスクによって、特に落ち着きが無くなったり、神経質になったり、イライラしたり、頭痛が生じたりします。これらは全て、ここ数年で劇的に増加しました。睡眠障害と日中の疲労感も、ますます増えています。これらは、スマートフォンによるコミュニケーションが夜遅くまで続くことの結果かもしれません。その他の情緒的な心身相関に関する障害も起こりえます。それは、動悸や胸苦しさのような心臓に関わる訴え、最悪の場合うつ病にまで至るような説明のつかない不安、などです。これらはワイヤレス・コミュニケーションによる電磁波を浴び続けることで引き起こされたり、増加したりします[60]。

社会生活への影響

2014年のBITCOM[61]の調査で、1000人の若者に「どんな状況の時にスマートフォン、Facebook などにイラつきますか？」と尋ねました。答えを見ると、若者たちが、自分たちの生活に携帯電話がどんな影響を与えているかを正確にとらえていることがわかります。

60　第2章参照
61　出典17参照

ひとりの男の子は「疲れていて寝たい時に一番イラつきます。携帯電話のせいで睡眠不足なんです」と書いています。ある女の子は「いつもイラついています。人がひっきりなしに携帯電話を見ていると、多くの時間が失われてしまうからです」と言います。一番多いのは、スマートフォンのせいで友情が壊れてしまうという声です。調査に参加したひとりは、「私の友人たちは、私と過ごすより多くの時間を携帯電話と過ごしています。

その点で、友人たちは現実よりもバーチャルな世界を優先させているのです。後々も思い出に残る体験や感情を作り出すのは、現実の生活だけだというのに」と言っています。

ベアトリーチェは、友人たちと外出すると、彼女たちがモバイル機器ばかり操作しているのを不快に思っています。「なんだかみんな注意力が散漫で、もはや誰もひとの言うことを聞いていないから、私はいつも同じことを3回言わなくてはならずイライラします。聞く力を今もまだ持っているのは、祖父母だけです」その祖父母は、もちろん携帯電話を持っていない人たちなのです。

この、常にオンライン状態で、常に返信できるよう構えているという思慮に欠けた傾向は、思春期の子どもたちの生活と友だちとの関係性を根本から変えました。携帯電話の方が一緒にいる友だちよりも重要になってしまったのです。デジタルの世界が直接的なつながりにとって代わろうとしています。このようなデジタルメディアによるあらゆるコミュニケーションにもかかわらず、社会的な孤立が生じています。このバーチャル・コミュニケーション世界への"逃避"の副作用は、すでにはっきりと現れています。

● 思春期の子どもたちの、社会的信号を適切に読みとる力が低下している。例えば、共感に基づいた社会的行動をとる、もしくは仲間内で対立した際に、建設的で社会的に受け入れられる行動をとる、といったことが難しくなっている、あるいは全くできなくなっている、というのがその現れである。米国の心理学者サラ・コンラートの調査[62]によると、大学生の共感能力は1990年以来、約40％落ちこんだそうだ。自己陶酔的、自己中心的なコミュニケーションが増えている。セルフィーやいいね！ボタンの活用などにも、そうした自己表現の傾向が表れているといえよう。

62　Sarah Konrath 出典18参照

●拘束力のない状況も増えている。以前は会う約束を交わし、原則としてそれが実行されていたが、今は個人のスケジュールが新たな交渉によって頻繁に変わったり組みかえられたりする。予定は、ただし書きつきのものが多くなっている。

●思春期の若者たちにとって、余暇をどうやって過ごすかを考えることが、ほとんど不要になっている。他の人たちと会う、スポーツをする、読書をする、といったことは無視される。スマートフォン、iPod、Xboxといった簡単にアクセスできて短時間使用できるメディアに頼る方が、ずっと楽だからだ。

重要なのは何か？

思春期の子どもたちがインターネットを長時間使用していたとしても、直接的な人との結びつきや趣味が育まれていて、学校の勉強が妨げられていないのであれば、それ自体は問題にはなりません。しかしそうであったとしても、デジタル・コミュニケーションとデジタル・エンターテインメントの波及効果は、見過ごされるべきではありません[63]。

思春期の子どもたちの多くが、このバランスを欠いた状況に気づき始めています。デジタル・コミュニケーション無しでやっていきたいとは思っていませんが、受けとるメッセージ量の多さにイライラし、すぐに返信しなければならないという圧力に抵抗しようとしています。その早いペースの奴隷になりたくはないのです。モバイル機器の受信音が鳴ったらすぐに応じなければならないという思いは、若者たちの多くにとって自分では逃れることのできない衝動であり、ジレンマなのです。思春期の若者たちは、特に、会話を最も本質的な点に絞ることを学ばなくてはなりません。自分たちの頭に入ってくる事柄を、意識的に制御することを学ぶ必要があるのです。

親として、あなたにできることは何でしょうか？ 子どもと話し合いを始め、デジタルメディアと他の活動の間にバランスをもたらすよう努力してみて下さい。少なくとも、テクニカルな手段、例えば時間制限ソフトウェアは、適切なバランスをとる助けとなるでしょう[64]。必要であれば、プロの助けを借りましょう[65]。

63　第7章7.2の項参照
64　第6章6.5の項参照
65　第7章7.2の項参照

7.2 過度なメディア使用と依存症の危険

「テクノロジーが私たちの人間性を超えてしまう日がくるのが怖い。
そうなると世界に、間抜けばかりの世代が生み出されてしまうだろう」
アルバート・アインシュタイン

2015年の DAK 医療保険会社の調査 "子ども部屋の中のインターネット依存症[66]" によると、世界中でかなりの数の若者たちが、さらには、もっと年下の子どもたちまでもが、インターネットへの依存を強めているという憂慮すべき事態が起こっているとのことです。12 〜 17歳の子どもの50％が、すでに毎日2 〜 3時間インターネットを使用しており、週末にはそれが平均4時間にも達します。土日には子どもたちの20％が、6時間以上をコンピュータゲームやインターネットの使用に費やしています。

メディア使用のリスクは、ますますはっきりしてきました。インターネット使用を減らすことを求められると、22％の若者や子どもたちが、落ち着かない、不機嫌になる、またはイライラするといった状態になります。すでに5％（約12万人）がインターネット使用のせ

66　Internetsucht im Kinderzimmer 出典19参照

12 〜 17歳のインターネット依存症に関する研究調査

50 %

毎日2〜3時間インターネット・サーフィンをする、
週末は最大6時間

22 %

インターネット使用を減らすことを求められる
と、落ち着かない、不機嫌になる、イライラす
る、といった状態になる

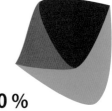

60 %

9〜10歳の60%は、テレビ、コンピュータ、その他
のデジタルメディア無しでは最大30分しか間が
持てない

40 %

13歳の40%が、学習障害や集中力の問題に
関わる症状を示している

いで病気になり、約8%にインターネット依存症のリスクの高まりが見られます。例えば彼ら
は、1日に8 〜 10時間ゲームをし、自制できずに他の活動をほったらかしてしまうのです。
ドイツ連邦薬物委員会の BLIKK メディア研究機関による調査[67]の中の、2015年のノルト
ライン＝ヴェストファーレン州の小児科診療調査によると、ドイツの９〜 10歳の60％以
上は、テレビやコンピュータ、その他のデジタルメディアが無いと最大30分しか間が持
てないそうです。さらに13歳の40％が、学習や注意力の障害に関連する症状を示して
います。また多くの親が、自分たちの子どもがコンピュータゲームやテレビを優先し、読
書など他の活動をおろそかにしていると不満を述べています。

ですから医師でありメディア・セラピストであるベルト・テ・ヴィルトは自著『デジタル
依存症 (Digital Junkies)』の中で、スマートフォンは紛れもなく中毒性のある媒体であり、

---

[67] 出典11参照

入門薬物のようなものだと言っています。「意図的に組み込まれた報酬メカニズム[68]によって、使用者は機器に引き付けられ、自己コントロールを失ってしまうのです[69]」

子ども・若者たちは、ますますインターネット依存症になっている
マックス (16歳) の両親は、相談にやってきました。
母親のディアナ (35歳) は言います。

「私たちはずっとマックスのことを誇りに思っていて、いつも彼のために最善を願ってきました。良い成績をとったご褒美として、マックスに新しいコンピュータゲームを買い与えました。先週、私がインターネットのスイッチを切ったために彼がドアを蹴って壊したとき、私たちは気づきました。すでに何か月もの間、マックスはオンラインの世界にほぼ浸りきりになっていたのです。学校の成績は下がり、友人のクルトとパウルも家に来なくなっていて、サッカーはとうに投げ出していました。マックス自身は何も問題だと思っていませんが、私たちはどうしたらいいかわからず、絶望的な思いです[70]」

結局マックスは、コンピュータゲーム依存症と診断されました。カウンセラーは、他の心配している親たちに対しても、問題ないかどうか判断したり、助けとなるような提言をいくつか与えてくれたりするでしょう。

マックスは例外ではありません。デジタルメディア依存症の危険性は、特に子どもや若者の間で圧倒的です。2016年のDAK医療保険会社の調査[71]によると、12 〜 15歳の子どもの5.7％（約69万6千人）がコンピュータゲーム依存症で、男の子は8.4％と明らかに女の子よりも依存傾向が高くなっています。これは、2017年2月に出されたドイツの連邦健康啓発センターの調査 "ドイツにおける思春期の若者の薬物親和性2015、コンピュータゲームとインターネットの巻" によっても確かめられています。12 〜 17歳の若者のうち約27万人（5.8％）が、"コンピュータゲームもしくはインターネットに関した障害"

68　脳は、快感や多幸感、陶酔感などを記憶して、再び同様の感覚を得たいという思う気持ちが起こり、その快感を得ようと行動がさらに強化されていく。このようなメカニズムが過度に組み込まれること
『ネット依存症から子どもを救う本』樋口進 2014 法研　を参考

69　出典23参照
70　出典29参照
71　出典20参照

を持っているとのことです。その数は2011年からの4年間で、3％から5.3％へ、ほぼ倍増しました。男の子がオンライン・ゲームの方により多くの時間を費やすのに対し、女の子のほとんどは、コミュニケーションのためにインターネットを使っています。DAKの調査 "子ども部屋の中のインターネット依存症" によると、12 〜 13歳の3.9％（6万5千人）がすでにインターネット依存症になっているそうです。

ですからますます多くの子どもや若者が治療を受けなければならないという状況は、驚くにはあたらないのです。ハンブルグ・エッペンドルフ大学病院内の、ドイツ子どもと若者の依存症センターにおける状況だけを見ても、わずか１年間で400人の子どもや若者がインターネット依存症と診断されています。およそ10人にひとりの子どもが、問題から逃避するためにインターネットを使用しています。専門家たちは、ドイツで最大100万人がインターネット依存症に陥っている可能性があると指摘しています。

前兆

依存症のプロセスは徐々に進行するので、多くの場合依存している本人は、インターネット使用過多の最初のサインに気づかず、少なくとも長い間それが憂慮すべきものだとは考えません。インターネット依存症の人は、他の依存症同様に、感情的な満足を得るためにどんどんインターネット使用に依存するようになっていきます。そして自分の周り

の家族や親しい人たちに、自分のインターネット使用量について嘘をついたり、その人たちを安心させようとしたりします。以下が当てはまれば、親は心配するべきです[72]。

● 使用時間が増え続け、余暇に行う他の活動をなおざりにしている、もしくは完全に放棄している。

● 子どもが夜遅くまでコンピュータの前にいて、明らかに睡眠時間が減り、昼夜のリズムが逆転し、そのため日中よく疲れている。

● 使用を制限しようとすると敏感に反応し、インターネットやコンピュータにアクセスできなかったり、それらの使用を減らすよう求められたりすると、不機嫌になりイライラする、または怒り出しさえする。

24時間を賢く使う－時間どろぼうに注意

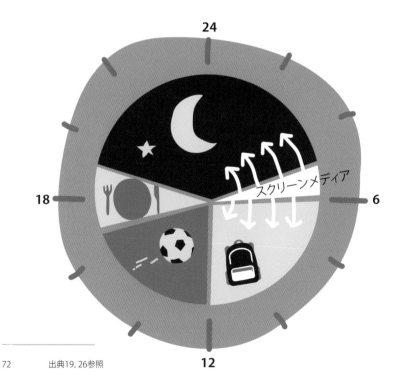

● インターネットやコンピュータ使用について子どもが激しく交渉してくる。夜にこっそりコンピュータのスイッチを入れて使っている。

● 実際の人との関わりが明らかに減った。人と会うのを避けているようだ。会話は短く、表面的だ。

● 学校に行かない日が増える、片付けなければいけない幾つものことを何週間も先延ばしにしているなど、自分の義務や役割を遂行しようとしなくなる。

● 子どもがイライラした反応を示す。また、オープンに依存症などの問題を持ち出すと口論になる。

上記のような経験がある場合は、真剣に受け止めるべきです。多くの場合、影響を受けている本人たちが自分のインターネット使用量を現実的に見積もることは、大変困難です。ですから外からの助けが必要なのです。本人たちは、多くの場合恥ずかしいという思いから、自分のインターネットやコンピュータ使用量を少なく見積もるのです。

インターネット依存かどうかを確かめるテスト
－ 保護者が子どもに質問することもできる －

これは自己診断のための質問リストです。

これらの質問は、インターネットの長時間使用による思春期の子どもたちの脳への影響を研究した、中国のチームが使用したものです[73]。

1 あなたは自分がインターネットに夢中になっていると感じますか？
  最後にネットでしたことを考えたり、次回することを待ち望んでいたりしますか？
2 満足を得るためには、インターネットを使う時間を長くしたいと感じていますか？
3 インターネットの使用をコントロールしたり、時間を減らしたり、やめようとしたけれど、うまくいかなかったことがたびたびありましたか？
4 インターネットの使用時間を減らそうとしたり使用をやめようとすると、不安になったり、不機嫌になったり、落ちこんだり、またはイライラしたりしますか？
5 最初に考えていたよりも長い時間を、インターネットに費やしていますか？
6 インターネットのせいで、大切な関係性、仕事、教育の機会を失いそうになったことはありますか？
7 インターネット使用について、自分の本当の状況を隠すために、家族・セラピスト・そのほかの人たちに嘘をついたことがありますか？
8 問題から逃げるために、もしくは絶望感、罪悪感、不安、落ちこみなどを和らげるために、インターネットを使用していますか？

研究者たちは次の方法で答えを診断します：

1～5の質問に全てイエスと答え、6～8の質問にひとつでもイエスと答えたならば、あなたはインターネット依存です。

ドイツでは、連邦保健省がスポンサーをしているオアシス（OASIS）というプラットフォームにおいて、自分でオンライン診断ができますし、家族や知り合いの診断もできます[74]。特徴的なのは、このプラットフォームはそれに加えオンライン・ケアサービスも提供していて、自分に合った、地域の治療センターも教えてくれることです。

---

73 出典21, 22参照
74 ドイツ語ができる方はwww.onlinesucht-ambulanz.de/seibsttest へ

日本の例としては、国立病院機構久里浜医療センターでは2011年からネット依存治療研究部門（TIAR)が開設され、依存症患者の治療やサポートにあたっています。

「インターネット依存症テスト」というキーワードで検索すると、コンピュータゲームやインターネット依存症の自己診断テストがたくさんヒットしますが、ここでは久里浜医療センターのものを紹介します。

インターネット依存度スクリーニングテスト[75]（IAT)

IAT（Internet Addiction Test）とは、アメリカのKimberly Young博士によって開発されたインターネット依存症のスクリーニングテストです。テストは20項目からなり、40点以上だとインターネット依存症の疑いがあると考えられています。

テストをやってみましょう

インターネットに関する次の質問にお答えください。この場合、利用する機器は、パソコン、携帯電話、スマートフォン、ゲーム機などオンラインで使用するすべてを含みます。各質問の1～20について次の回答の中から、最もあてはまるものを1つ選んでください。自分に関係のない質問であれば「全くない」を選んでください。

各回答の合計点があなたの得点です。

- 全くない（１点）
- まれにある（２点）
- ときどきある（３点）
- よくある（４点）
- いつもある（５点）

得点が高いほど依存の度合いが強いことになります。

20～39点	平均的なオンライン・ユーザーです。
40～69点	インターネットによる問題があります。インターネットがあなたの生活に与えている影響について、よく考えてみてください。

75 引用：独立行政法人国立病院機構 久里浜医療センターホームページ/ネット依存治療部門
開発者：Kimberly Young博士からライセンスを得て翻訳・使用
翻訳者：久里浜医療センターTIAR
バックトランスレーションによる妥当性確認：Michie Hesselbrock教授（米国コネチカット大学）

1　気がつくと思っていたより、長い時間インターネットをしていることがありますか。

全くない（1点）まれにある（2点）ときどきある（3点）よくある（4点）いつもある（5点）

2　インターネットをする時間を増やすために、家庭での仕事や役割をおろそかにすることがありますか。

全くない（1点）まれにある（2点）ときどきある（3点）よくある（4点）いつもある（5点）

3　配偶者や友人と過ごすよりも、インターネットを選ぶことがありますか。

全くない（1点）まれにある（2点）ときどきある（3点）よくある（4点）いつもある（5点）

4　インターネットで新しい仲間を作ることがありますか。

全くない（1点）まれにある（2点）ときどきある（3点）よくある（4点）いつもある（5点）

5　インターネットをしている時間が長いと周りの人から文句を言われたことがありますか。

全くない（1点）まれにある（2点）ときどきある（3点）よくある（4点）いつもある（5点）

6　インターネットをしている時間が長くて、学校の成績や学業に支障をきたすことがありますか。

全くない（1点）まれにある（2点）ときどきある（3点）よくある（4点）いつもある（5点）

7　他にやらなければならないことがあっても、まず先に電子メールをチェックすることがありますか。

全くない（1点）まれにある（2点）ときどきある（3点）よくある（4点）いつもある（5点）

8　インターネットのために、仕事の能率や成果が下がったことがありますか。

全くない（1点）まれにある（2点）ときどきある（3点）よくある（4点）いつもある（5点）

9　人にインターネットで何をしているのか聞かれたとき、防御的になったり、隠そうとしたことがどれくらいありますか。

全くない（1点）まれにある（2点）ときどきある（3点）よくある（4点）いつもある（5点）

10　日々の生活の心配事から心をそらすためにインターネットで心を静めることがありますか。

全くない（1点）まれにある（2点）ときどきある（3点）よくある（4点）いつもある（5点）

11　次にインターネットをするときのことを考えている自分に気がつくことがありますか。

全くない（1点）まれにある（2点）ときどきある（3点）よくある（4点）いつもある（5点）

12 インターネットの無い生活は、退屈でむなしく、つまらないものだろうと恐ろしく思うことがありますか。

全くない（1点）まれにある（2点）ときどきある（3点）よくある（4点）いつもある（5点）

13 インターネットをしている最中に誰かに邪魔をされると、いらいらしたり、怒ったり、大声を出したりすることがありますか。

全くない（1点）まれにある（2点）ときどきある（3点）よくある（4点）いつもある（5点）

14 睡眠時間をけずって、深夜までインターネットをすることがありますか。

全くない（1点）まれにある（2点）ときどきある（3点）よくある（4点）いつもある（5点）

15 インターネットをしていないときでもインターネットのことばかり考えていたり、インターネットをしているところを空想したりすることがありますか。

全くない（1点）まれにある（2点）ときどきある（3点）よくある（4点）いつもある（5点）

16 インターネットをしているとき「あと数分だけ」と言っている自分に気がつくことがありますか。

全くない（1点）まれにある（2点）ときどきある（3点）よくある（4点）いつもある（5点）

17 インターネットをする時間を減らそうとしても、できないことがありますか。

全くない（1点）まれにある（2点）ときどきある（3点）よくある（4点）いつもある（5点）

18 インターネットをしていた時間の長さを隠そうとすることがありますか。

全くない（1点）まれにある（2点）ときどきある（3点）よくある（4点）いつもある（5点）

19 誰かと外出するより、インターネットを選ぶことがありますか。

全くない（1点）まれにある（2点）ときどきある（3点）よくある（4点）いつもある（5点）

20 インターネットをしていないと憂うつになったり、いらいらしたりしても、再開すると嫌な気持ちが消えてしまうことがありますか。

全くない（1点）まれにある（2点）ときどきある（3点）よくある（4点）いつもある（5点）

過度なメディア使用が引き起こす最も深刻な影響

動きの欠如

スクリーンの前であまりにも長い時間を費やす子どもたちの多くに、運動の発達の遅れが見られます。動きがあまりに少ないと、頭も血行不良になります。これは例えば、微細運動能力、思考、創造性、自発性、その他多くを害します。

太りすぎ

　スクリーンの前で多くの時間を過ごす人たちの多くは、太りすぎています。太り
すぎは、一連の深刻な影響をもたらす可能性があります。糖尿病（2型）、動脈
硬化、心臓発作です。ここでの問いは「鶏が先か、卵が先か？」です。テレビ
の見過ぎが、太りすぎにつながるのでしょうか？　それとも逆でしょうか？ ニュー
ジーランドで研究者たちが、1000人を対象にその人たちの誕生から30歳までを
観察しました。

　結果は、太りすぎ、糖尿病、学習に関わる困難が、実はテレビの長時間視聴か
らくるというものでした。

睡眠障害

　多くの人たちが、テレビを見ながら寝てしまいます。これはテレビが健全な睡眠
を促すことを意味するのでしょうか？　特に子どもに関しては、その逆が真実です。
映画やコンピュータゲームが興奮する内容であればあるほど、それを見た後の子
どもの睡眠の質は落ちます。寝る直前にテレビを見た場合は、特にそうなります。

スクリーン視聴が増えた結果として睡眠時間が削られることも、学習の妨げになります。なぜなら、日中に体験した学びは夜に消化され、記憶に組み込まれるからです。

社会的な関わりと発達の妨げ

バーチャルな友人はたくさんいるのに、実際の人との関わりをほとんど持たないとしたら、人生の重要な側面をないがしろにしていることになります。その結果、人間関係における障害、発達障害、そして生きることへの不安などが生じることもあります。発達に不可欠なステップを踏む時間がとれないために、心理社会的な成熟が止まってしまうのです。

韓国が良い例を示している

米国の小児科医たちは、これまで述べたようなリスクや副次的影響について、何年も警鐘を鳴らし続けてきました。そして幼児にデジタルメディアを使わせてはならない、子どものデジタルメディア使用には明白な時間制限が必要だと訴えてきました。韓国の教育政策は、現在これらの提言を取り入れています。韓国は、若者を新たなテクノロジーの

最悪の影響から守る法律を施行した最初の国で、政府はすでに2015年からそうした法律を施行しています。

以下は韓国の法律です。

19歳未満の者がスマートフォンを購入する場合、以下のソフトウェアが搭載されたものでなければならない。

1．暴力及びポルノグラフィーへのアクセスをブロックする。
2．スマートフォンの毎日の使用時間が登録され、制限時間を超えた場合は親に通知がいく。
3．深夜0時以降、ゲーム・サーバーへの接続を切断する。

テクノロジーを最も発達させた国が、そうしたテクノロジーのリスクや副次的影響から次の世代を守ることの重要性に気づいたのです。韓国は世界で最もデジタル・インフラが発達した国で、スマートフォンの製造量も世界一です。その結果、10〜19歳の90%がすでに近視で、30%以上（！）の子ども・若者がスマートフォン依存症で、頚椎が常に前かがみの状態にあるため、多くの人が姿勢に問題を抱えています。

重要なことは何か？

多くの親は、子どものインターネット使用について確信がもてない状態です。デジタルメディア機器によるインターネット使用が、多くの家庭で口論を引き起こし、病気や依存にまで発展しています。テクノロジーの習熟だけを目的に、できるだけ早く子どもにデジタルメディアを与えるというのは明らかに不適切です。子どもがひとりで責任を持ってインターネットを使っていくためには、早く与えることだけを優先させてはいけません。なぜなら、操作面でのテクニカルな専門知識は、依存症から守ってくれるものではないからです。予防策としてこのメディア・ガイドブックが推奨するのは、次の2点です。

1．スクリーンメディアの使用開始をできるだけ遅らせる。
2．代わりに現実世界において様々な他の活動をさせてあげる。

こうしたことが、子どもを守ることにつながるのです。

専門家への相談

子どもが依存症的な兆候を示している場合、カウンセラーや治療センターへの相談をお勧めします。

7.3 個人情報に対する軽率なアプローチ

子どもや若者のプライバシーを守ることは大変重要です。基本的に、WhatsApp、SnapChat、Facebook、Instagram、Amazon などの使用によって、また例えば Google などの検索エンジンのネット検索によって、スマートフォンやインターネットのあなたの活動が、どの程度見知らぬ第三者にオープンになっているのか、どの程度あなたの個人情報がそうした人たちの手に渡っているのかは、わからないのです。

「私は何も隠すことなどない」と思っている方へ
― インターネット・スマートフォン・タブレット上のあなたのデータが
あなたについて開示する内容 ―

ほとんど全ての若者同様、あなたがインターネットをかなり多く利用しているとしたら、あなたは自分についてあらゆる情報をインターネット上に漏らしていることになります。プライバシーをますます公にしているのです。「インターネットはいったん掲載されたものを忘れない！」ということを心に留めておいて下さい。

Google や Microsoft などのほとんどの検索エンジンはあなたの検索内容や IP アドレスを保存していて、いわゆるトラッキングと呼ばれる追跡や、あなたがそのサイトを訪問したことがわかるクッキーなどを使ってあなたの検索内容、サイトの訪問時刻、選択したリンクを保管しています。広告であなたを追跡しない検索エンジン、あなたの検索に関するデータを集積および配信しない検索エンジンはわずかしかありません[76]。同様に多くの

76　例：Startpage、DuckDuckGo

ウェブサイトが、あなたの選択したリンクやその他の個人データを、クッキーを使って保存しています。検索エンジン大手の中でも、Googleは個人情報を集積して、これまででおそらく最大のデータバンクをひそかに作りあげています。

例えばポケモンGOのゲームなど多くのアプリには、ひそかに、もしくはオープンに監視機能が内蔵されています。無料アプリの60％が、使用の際に使用者のアドレス帳、現在位置もしくはGPSデータやカメラなどへのアクセスを要求します。多くの場合サービスを提供するのにそうしたデータは関係ないにもかかわらず、です。目的はデータを集めることだけなのです。

「自分は何も隠すことなど無いからプライバシーの権利なんて気にかけない、
というのは、
自分は何も言うことが無いから言論の自由なんて気にかけない、
というようなものです」
エドワード・スノーデン[77]

77　訳者注：アメリカ国家安全保障局 (NSA) および中央情報局 (CIA) の元局員。アメリカ合衆国連邦政府による情報収集活動に関わった。2013年に、それまで陰謀論やフィクションで語られてきたNSAによる国際的監視網 (PRISM) の実在を告発したことで知られる。

インターネットやスマートフォンを使ってクリックする度に必ず発生するデータは、集められるだけでなく蓄積されます。それは多くの場合、GoogleやFacebook、Amazonなどの企業、及び諜報機関などのシークレット・サービスが、いわゆるアルゴリズムを使って自動的に評価しています。名前、住所、電話番号、生年月日、性別、家庭環境、健康状態、好み、興味、政治的・宗教的な信条や立場、職業や社会的地位、社会環境、文化的背景のみならず、消費習慣、クレジットカードの支払い能力、支払いに関するモラル、経済的な信用度、その他にもインターネット使用者に関する多くのデータが蓄積されています。この個人のデータ・プロフィール（いわゆるデジタルツイン「デジタルの双子[78]」）は、マーケティングの専門家、銀行、保険会社、人材部門、官庁の職員、その他関心のある人たちに売られます。ハッカーや犯罪者に売られることもあり、その売り上げは何十億ドルにものぼります。ほとんど全ての人が、多かれ少なかれ価値のある、そして売り物になる商品にされてしまうのですから、個人データは21世紀のいわば金だということができるでしょう。

ですからインターネットなどの無料アプリを使用する際は、「自分のデータ」という形ですでにお金を支払っていることになります。アプリ使用の際に求められた同意事項の承諾に、軽はずみに応じた結果として、そんなことが起こっていないといいのですが。

あなたは常に損をしているのです。なぜなら、無料で使用しているアプリの価値は、それを使用するためにあなたが提供した自分のデータの価値よりも低いからです。

プライバシーの喪失は自由を奪われることを意味する

自分の許可無しに監視されるという、プライバシーが意図的に無視されるような行為は、憲法で保障されたデータ保護とプライバシーの権利を傷つけるものです。あなたがインターネットで自分のデータを軽はずみに提供する期間が長くなればなるほど、プライバシーは失われていきます。

78　訳者注：現実世界の環境をバーチャル空間にコピーする鏡の中の世界のようなイメージ。デジタルツインにより、物理空間の将来の変化をバーチャル空間上でシミュレートすることを可能とし、将来実際に起こるであろう物理空間での変化に備える目的にも使われる。

プライバシーがなくなると、人に巧みに操られたり、自由を制限されたり、コントロールされたりしやすくなります。なぜなら、ひとりの人間について多くのことを知っている者は、その人間をたやすくコントロールし、操作することができるからです。そしてこのプロセスはすでに始まっています。

巧みな操作の目的は、とりわけ消費に関することです。例えば、広告はますます消費者一人ひとりに完全に合わせたものになってきています。物事に対する見解も巧みな操作の対象となります。また、操作されることによって冷静な判断ができなくなり、プレッシャーを受けたり悩んだりする状況にたやすく置かれるようになります。

保険会社や雇い主、そして銀行などが、デジタルデータの評価結果によってあなたに公平な対応をしてくれなくなったとしたら、あなたとあなたのお子さんの将来の可能性は制限されてしまうかもしれません。例えば保険などの特定のサービスが条件つきでしか受けられない、求職した際に理由がわからないまま断られる、信用取引や飛行機での旅行

を断られる、などです。これらによって、個人の自由と行動の機会が大きく制限されてしまう可能性があります。インターネットやスマートフォンは理想的なデータの伝達機器であるばかりでなく、スパイ行為にも理想的であり、さらには、個人を監視しコントロールし、操作する機器でもあるのです。これについてペーター・ヘンジンガー[79]は以下のように書いています。

「個人を監視するためのこれらのデータは、以前は犯罪行動の場合にのみ開示が許されるものだったが、今はあらゆるスマートフォン使用者によって自発的に提供されている。これは新しい現象だ。それは自由の罠である・・・ジョージ・オーウェルの小説『1984』のお株を奪ってしまう。オーストリアの連邦労働会議所がこのことについて、注目すべき調査の中で書いている。

"ここに述べたような推移と慣行は、一種の監視社会が現実になっていることを明らかにしている。そこでは人々が個人データに基づいて常に分類され仕分けされているのだ"[80]」

自分と自分の子どもをプライバシーの喪失から守る

ほとんどの人は、自分のプライベートな生活を、日常生活の中で見知らぬ人に明かすことは滅多にないでしょう。しかしインターネット上では、これは完全には避けられません。最も重要な予防策は、可能であれば個人情報へのアクセスをブロックすることです。もしくは制限することです。つまり苗字・名前・住所・友人・家庭環境・プライベートな写真などの個人情報を無防備にシェアしたり投稿したりしないことです。個人情報へのアクセスを制限すればするほど、経験の浅いインターネット使用者たちが標的にされることは少なくなります。子どもや若者はまず、なぜ自分たちのプライバシーを守ることがそんなに重要なのか、そして特にどうやってそれを守ればいいのかを学び理解する必要があります。

ヒント：一般的に、インターネットで WhatsApp、Facebook その他のサービスを使う子どもは、決して本名を使うべきではありません。代わりに仮名を使うべきです。13歳未満の子どもは WhatsApp、Facebook へのアクセスが許されていません[81]。

---

79 Peter Hensinger　出典24参照
80　出典25参照
81　p77参照

スマートフォンや多くのオンライン・サービスにおいて、使用者は自分で境界線を引くことができます。どのデータを提供したいか、自分で決めるのです。設定は通常ユーザー（使用者）・プロフィールから行います。若いユーザーは、個人情報に対して大変慎重になる必要があります。親に手助けしてもらうべきでしょう。

ソーシャルネットワークの記憶力は抜群です。ひとたび写真が公になると、拡散しないようにコントロールするのは難しく、完全に削除することもできません。なぜなら写真やコンテンツを削除しても、別の場所にコピーが存在するかもしれないからです。子どもや若者は、何かを公にする前に、このことを考える必要があります。住所や好みなど、その他のデータもネットから消去するのは簡単ではありません。

これは根本的に次のことを意味します。個人情報の提供が少なければ少ないほど、子どもは安全に機器を使用することができます。ですから、提供するのは本当に必要なデータだけにして下さい。

メディア使用のルールを子どもや若者と一緒に作って下さい。その際に、特にインターネットに写真やビデオを投稿し拡散する時の典型的な危険や問題について、幅広く説明してあげて下さい。子どもや若者に、一度ネットに投稿された写真やビデオはあっという

間に広がり、取り下げたり簡単に削除したりできないということをはっきり伝えて下さい。
そして多くのネガティブな影響が生じるということを。

- 無料アプリをダウンロードする前に、自分や自分の子どもが本当にそのアプリを必要としているかを見極める。

- スマートフォン・PC・タブレット上で個人データを監視しないアプリが手に入るのであれば、少しお金を払ってでもそちらを使う。

- 信頼のおけるプロバイダーのVPN[82]（Virtual Private Network バーチャル・プライベート・ネットワーク）ソフトウェアを使用する。VPN ソフトウェアは、インターネット使用時に個人データを匿名にしてくれる。特にフリー Wi-Fi 使用時には、こうしたソフトウェアを使う。

- プライバシーをどう保護するかについて、インターネットや本に載っている様々な情報を活用する。

ご自身やお子さんがプライベートなデータを、どれくらいきちんと保護できているかのテスト[83]

全ての項目で一番右側の欄にチェックがついたら、
プライバシー保護の最初のステップがとれていることになります。

		当てはまらない	いつも当てはまるわけではない	大抵当てはまる	当てはまる
1	常にスマートフォンのスクリーンにロックをかけている。	☐	☐	☐	☐
2	スクリーンのロックに使用している数字はランダムな組み合わせにしている。	☐	☐	☐	☐
3	フリー Wi-Fi を使用すると、他人が自分の活動を覗けるということを知っている。	☐	☐	☐	☐

---

82 VPNは、インターネットを利用する通信環境において、まるでパソコンとパソコンを直接つないだかのようなプライベートな通信環境を作り出し、安全性を高める技術。特に外出先でフリーWi-Fiを使用する際に有用。「VPNソフト」などのワードで検索可

83 出典27参照

4   インターネット・ブラウザの設定で
「パスワードを保存する」機能を常にオフにしている。   ☐ ☐ ☐ ☐

5   インターネット・ブラウザのウェブサイト設定で
スマートフォンの位置情報を「許可しない」 にしている。   ☐ ☐ ☐ ☐

6   インターネット・ブラウザのウェブサイト設定で
カメラ・マイク機能の許可を「毎回確認」にしている。   ☐ ☐ ☐ ☐

7   「WhatsApp」アプリは使用者の電話番号、通信時間、
通信相手、連絡先情報などを保存し、
Facebook に渡していることを知っている。   ☐ ☐ ☐ ☐

8   アプリをインストールする際は、
インストールの前に常に同意事項を確認している。   ☐ ☐ ☐ ☐

9   同意事項が理解できない場合は、
そのアプリをインストールしない。   ☐ ☐ ☐ ☐

10   画像・ビデオ・住所・メッセージ・位置情報が保存され、
他者に渡るとわかっている場合は、
そのアプリをインストールしない。   ☐ ☐ ☐ ☐

11   アプリやスマートフォンを常に最新の状態にアップデートし、
何が変更になったかを自分で確認している。   ☐ ☐ ☐ ☐

12   グーグルストアや、他の第三者プロバイダーからアプリを
ダウンロード・インストールする際のリスクを理解している。   ☐ ☐ ☐ ☐

13   インターネット上では「忘れ去られることがない」ということを
理解している。これは、いったん掲載されてしまうと、
写真・ビデオ・文章などを完全に削除できる保証はない、
という意味である。   ☐ ☐ ☐ ☐

14   自分がインターネット上に挙げた写真・ビデオ・文章を、
現在または将来の雇用主が閲覧する可能性があると
理解している。   ☐ ☐ ☐ ☐

セクスティング（sexting 性的な画像の送信）のリスク

若い女の子が、自主的に、もしくはプレッシャーに負けて自身の私的な写真やヌード写

真をボーイフレンドに送ったり、ネット上に掲載したりすると、特に危険な状況が発生します。これはセクスティングと呼ばれています。一番安全なのは、スマートフォンでそのような写真を撮らないことです。なぜなら、アプリの中には、本人も気づかないうちにそうした写真へのアクセスが許可されているものもあるからです。写真を撮ってしまったとしても、誰にも、親友にも送ってはいけません。友情が壊れた場合、あるいは友人が敵になってしまった場合、そうした写真やビデオはどうなってしまうでしょう？いったん送信してしまうと、その写真の使用を自分でコントロールすることは不可能になります。これは「SnapChat」という、短時間で写真が削除されるシステムのアプリにおいても同様です。削除される前に誰かがコピーを作成することが可能だからです。そうした写真は概して、ごく短時間のうちにネット上で拡散され、多くは暴露や屈辱へとつながり、さらには脅迫まで引き起こすこともあります。生じる反応の大半は、中傷的なものです。

画像を拡散した人たちを訴えることが可能な場合もあります。クラスメートや学校仲間であっても、責任を問われ、刑罰の対象となる場合があるのです[84]。この領域では、刑罰の対象となり得る犯罪が数多く起こっています。英国では、18歳未満の子どもが、自身や友だちのものだと判別可能な写真やビデオ、文章をシェアしたり、ダウンロードしたり、保存したりすることは法律違反です。米国では、州ごとに適用される法律が異なります。一般的に、ヌード写真の送信や受信は法律違反となります。ほとんどの国には、似たような法律が存在します。多くの国では、18歳未満の子どものセクスティングに対して、特別の法律を適用させています。それは、深刻なケースや繰り返されるケースは別として、そうした行為を子どもの犯罪歴に入れず、子ども自身や親や学校への教育的側面を重視するという配慮からです。

日本ではセクスティングという言葉はまだ知られていませんが、児童ポルノ禁止法により、18歳未満の性的な写真を所持することは禁じられています。また、リベンジポルノ禁止法により、プライベートな性画像を撮影対象者の同意なく公表することも違法となります。インターネットで知り合った人や知人や友人から性的な写真を送るように言われても、本文中にもあるように送るべきではありませんが、送るよう言われ困っている場合、また送ってしまうなどして相談したい場合は、各都道府県の性犯罪・性暴力被害者のための

84　刑事責任が生じる年齢の、国ごとの違いについては第7章7.4の項参照

ワンストップ支援センター ⁸⁵
もしくは
チャイルドライン 18歳以下の青少年の相談窓口⁸⁶
あるいは NPO法人 人身取引被害者サポートセンター ライトハウス⁸⁷
に相談してください。

見知らぬ人とのチャットのリスク

見知らぬ人からのコンタクトには、さらなる危険が伴います。そのほとんどは偽名を用い、まず子どもの信頼を得たあと、その子を誘惑して、あるいは強制して、何らかの行動を起こすように仕向けます。そうして子どもを、外からの支援なしには逃れられないような状況に追い込むのです。

自分の子どもに、こうした誘いについて説明してあげて下さい。子どもに「見知らぬ人は怖い」と教え込むべきではありませんが、現実世界での友だちと、バーチャルな世界で

85 https://www.gender.go.jp/policy/no_violence/avjk/pdf/one_stop.pdf
86 https://childline.or.jp/
87 https://lhj.jp/

の友だちの違いを認識させ、バーチャルな世界で見知らぬ人と情報交換する際に必要な予防策についても教えておくべきだ、というのが多くの人からのアドバイスです。

- ●「サイバー犯罪」「ネット犯罪」のキーワードで検索してください。
- ●子ども対象の性的虐待予防・介入支援サイトについては
  「子どもの性的虐待 予防」などのキーワードで検索してください。

7.4　サイバーいじめとインターネット・ハラスメント

サイバーいじめ

デジタル形式のコミュニケーションやソーシャルネットワークにおいては、誰かの画像やビデオをオープンに、またはこっそり撮影してそれを広めたり、その人を辱めたり、噂を広めたり、強要したり、といったことが容易に行えます。いわゆるサイバーいじめが学校で特に増えていて、男女共にその影響を受けています（約28 〜 33%）。いじめは、

暴露や中傷、あざけりなどといった多くの場合さりげない暴力の形をとります。それは長期に渡り、対象となった人を社会的に孤立させる目的で行われます。

いじめはインターネットの領域において、これまでをはるかに超える量と範囲で発生しています。ドイツ連邦デジタル経済協会の調査によると、18 ～ 24歳の97%（！）がサイバーいじめを自分たちの年齢層における深刻な問題だと考えています[88]。

以下のように法的な判断及び処分が存在します[89]。

- 多くの国で、写真・動画・音声の盗み撮り及びその拡散は、刑事犯罪となる。ドイツでは、写真撮影による個人のプライバシー侵害の刑罰が刑法典§201aによって定められている。正式に許可されていない録画・録音、または画像や録画の配信、特に更衣室やトイレなどプライベートな場所（教室は含まれない）における録画や録音は、それ自体1年以内の懲役もしくは罰金を伴う処罰の対象となる。

- 肖像写真も本人の承諾のもと、著作権法に則った方法で配信したり公開したりする必要がある。ドイツにおける違反については、刑法典§201と同様の刑が科される。

- 殴ったり蹴ったりすることも、身体的な被害を生むため犯罪である。そのような場面の写真や動画を撮り、それを人に見せたり配信したりすることも、たとえ自分がその暴力に加担していなかったとしても刑罰の対象となる。なぜなら、そのような写真の配信は被害者にとってかなりの屈辱で打撃となるからである。

- インターネットから暴力的な写真や動画、またはポルノ写真・動画をダウンロードし配信することもまた、犯罪行為である。そのような犯罪には懲役または罰金が科され、携帯電話が警察によって没収されることもある。

88　出典28参照
89　第8章も参照

国によって違いはありますが、根本的に刑事責任は多くの人が思うよりも早い時期から発生するということを、私たちは考慮に入れておく必要があります。ドイツでは子どもが14歳に達した時点で発生し、英国・オーストラリア・ニュージーランドでは10歳から発生します。米国では連邦犯罪については11歳からで、州レベルでは、33の州が最低年齢を定めていません。しかし18歳未満の犯罪については、一般的に少年裁判所で公判が行われます。少年非行においては、刑罰よりもしつけに焦点が置かれます。何よりもまず、教育と支援に注意が向けられるべきなのです。

何ができるか？

「チャイルドライン[90]」や、「オンライン いじめ支援サービス」などの検索ワードでウェブサイトにいくと、サイバーいじめから自分を守る方法、サイバーいじめを体験している人を助ける方法について、数多くのヒントや推奨事項を見つけることができます。その中には以下の事柄も含まれます。

- 家族の誰かがサイバーいじめにあっていたら、ともかく直接当人に話しかけて、支援を申し出る。

- もし自分の子どもが被害を受けていたら、侮蔑的で不名誉な、もしくは脅迫的な電子メールやショートメッセージに直接返信させず、まずは画像やデータなどの証拠を保存する。

- 画像や録画がこれ以上配信されないように、投稿を PC から削除すること。ネットワーク・サーバーからも削除してもらう。

- 深刻な場合は、警察に報告すべき。サイバーいじめは犯罪につながる可能性があるため。

- 警察に報告する場合は、報告のためにいじめのプロセスを記録しておくこと。例えば、写真やビデオ、またケースに応じて侮辱的言動、無理強いや脅迫な

90　https://childline.or.jp/

どをスクリーン・ショットやチャットの会話記録などの形で集めておく。

● ソーシャルネットワーク上でのいじめを、ソーシャルネットワークのプロバイダー
に報告する。プロバイダーは加害者のアカウントをブロックすることができる。

● 優良なウィルス対策ソフトを使ってトロイの木馬[91]やスパイウェアから自分の
個人データを保護すること。いじめは多くの場合、盗用した ID を用いて行わ
れるため。

7.5　青少年に不適切なサイト

ネット上のショッキングなコンテンツについては、子どもが多くの場合、何気なく目にし
てしまうことを考えると、さらなる脅威となります。例えば、そうした写真が突然ソーシャ
ルメディア・ネットワークのシェア機能によって子どもの視聴画面に現れるかもしれませ
んし、学校の友だちが自分の見つけたものをシェアしてくるかもしれません。ネット上の
青少年に不適切なサイトの中で、何よりもまず挙がってくるのはポルノです。それから暴
力的なもの、拒食症・過食症など自らを危険にさらす行為を肯定するような広告、プロ
パガンダも含めた政治的過激論や宗教的狂信が続きます。

こうしたサイトへのアクセスを制限しないと、子どもや若者の心理的リスクは様々に広が
ります。以下に示すように、そうしたリスクを過小評価するべきではありません。

性的描写—ポルノグラフィー
「16歳から19歳の男性の3分の2が、毎日あるいは毎週ポルノグラフィーを視聴していて、
驚くべきことに5人に1人は毎日ポルノグラフィーを見ています[92]。11歳から13歳の子ども
のほぼ半数が、すでにポルノ画像や動画を目にしていて、17歳になるとその数は男子

91　訳者注：コンピュータの安全上の脅威となるソフトウェアの一種

92　Pastoetter、Pryce、Dreyの2008年の調査

93％、女子80％に達します[93]」。ドイツの "メディア依存症からの復帰機関[94]" は以下のように記しています。

「ポルノグラフィーは無害ではありません。・・・数多くの調査によると、ポルノグラフィーの視聴は、関係性を築く能力を脅かし、性的な暴力を促し、常習癖となる可能性が高いということです。子どもや若者に、ポルノグラフィー視聴の影響を理解させ、知識ある態度を身につけさせるためには、大人の支援が必要となります」

また多くの場合、ポルノグラフィーは不安を呼び起したり、愛や性に対する誤った期待を生じさせたりします。未成年の性的暴行の数は増加しています。長期的な調査によると、ポルノグラフィーを頻繁に視聴する若者ほど、性的な関係を本来の関係性から切り離し、カジュアルセックスを当たり前だと考える傾向が強いということです。青少年保護法やフィルター・ソフトウェアは重要ですが、視聴を阻止するには十分ではありません。

93　Dr.Sommerの調査　出典34参照
94　Return Institute for Media Addiction

暴力的描写

スクリーンの前で過ごす時間 — 1万2千時間（！）ドイツの平均的な子どもは、15歳頃こ
この数字に達します。推計によると、その時点までに子どもは約1万回に及ぶ殺人場面と、
10万回に及ぶ暴力シーンを目にしていることになります。だからといって、ほとんどの若
者は暴力をふるうようになるわけではありません。しかし、特にインターネットには暴力
的な描写が溢れています。殴るシーン、ホラー映画のシーン、残忍な予告宣伝、事故・
拷問・処刑の画像まであり、その他にも数多く存在します。2009年のグリムの調査 "ウ
ェブ上の暴力2.0" によると、若者の4分の1はインターネット上で暴力を目にしていると
いうことです[95]。

「PCのシューティング・ゲームが引き起こした連続殺人」といった報道記事についてはど
うでしょうか？ 若者を凶暴な行動へ向かわせないようにする要因は、愛情ある両親、良
い友人たち、穏やかな気質、など数多く存在します。一方で、若者たちのまわりには、
問題のある仲間たち、家庭内暴力、学校でのストレスなど、暴力を助長する要因も数多
く存在するのです。メディア上の暴力も彼らに影響を与えます。

95　Violence on the Web 2.0　出典31参照

暴力的な描写の影響：共感が働かなくなる

暴力的な描写は、子どもや若者に長期的な印象となって残ります。彼らはショックを受け、嫌悪や不安、心配といった感情を体験し、そうした映像がトラウマを引き起こすこともあります。「特に問題なのは、実際の、また現実に近い暴力描写です。若者の40％以上がそうしたシーンを目にしています。なぜ危険かというと、大人よりも子どもや若者の方がそうしたイメージの影響を受けやすいからです」

グリムの調査では次のこともわかりました。「全ての年齢グループの中で、若者が一番、加害者とその行動に激怒し理解不能だと感じ、またそれを録画してインターネットで配信した人にも同様に怒りの感情を持ちました。若者たちは、加害者とそのコンテンツの制作者たちを非難していましたが、しかしそのようなネガティブなコンテンツを、非難する目的であっても自分たちが拡散することの是非について、ほとんど意識が及んでいませんでした」

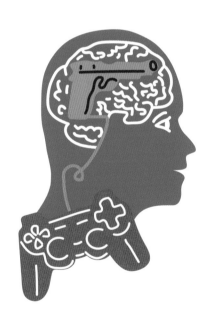

頭の中の暴力？
それほど単純ではないのです！

暴力的なシーンを繰り返し見ると、特に同情心や思いやる気持ちが弱まります。共感能力が減少してしまうのです。例えばコンピュータゲームのように、そのシーンに介入でき

る場合には、そうした影響はさらに顕著になります。サイバー・ゲームの場合はなおさらです。人を殺すことへの持って生まれた抑制感情が弱まります。暴力的な行動を車に例えると、次のように言えるでしょう。メディアの暴力は、燃料タンクにハイオクガソリンを入れるのではなく、車のブレーキを壊してしまうようなものだ、と。

注意：「6歳以上」という表示のある映画・ゲームの全てが6歳の子どもにふさわしいわけではない。専門家は、独 ソフトウェア事前審査機構及び独 映画ビジネス自主規制協会の表示＋3歳を推奨している[96]。

暴力的な描写が子どもや若者の心理に与える影響については、"メディアの暴力が若者に与える影響[97]" の調査に詳しく記載されています。

自らを危険にさらす行為

インターネット上には、自傷行為や自己破壊的な行為を広め、またしばしば美化するようなサイトが数多く存在します。例えば拒食症や過食症の危険があってインターネット上で支援を求める若者が、不用意に病状を肯定され、いわゆる拒食症・過食症を擁護するサイトによってその状態を継続するヒントまで与えられてしまう、ということが起こっています。オンラインの危険性を踏まえると、こうした症状に苦しんでいる人たちは、自分で支援サービスのウェブ検索をする際には細心の注意を払う必要があります。そうした人たちは自分の精神疾患に対する緊急の支援を必要としているのです。次のステップとして重要なのは、医療のプロに面会することです。

日本では、摂食障害の相談ができるサイトに、**NABA**[98] があり、
より一般的な心の健康相談に関しては、
各都道府県の精神保健福祉センターのリスト[99] があります。

96　p66、第7章7.3の項参照
97　『The influence of Media Violence on Youth』Anderson, C.A. その他 Psychological Science in the Public Interest, 2003: journals.sagepub.com/doi/10.1111/j.1529-1006.2003.pspi_1433.x
98　https://naba1987.web.fc2.com/
99　https://www.zmhwc.jp/centerlist.html

他にできることは・・・

第6章6.5の項で説明したようなテクニカルな防護手段は、それだけでは子どもや若者を
危険なコンテンツから守るのに常に適切というわけではありません。

**最も重要なのはしっかりした信頼関係です。それがあると、子どもがインターネット上で
犯罪となるような体験に出くわした際に、親であるあなたに頼ることができるでしょう。**

インターネット上で青少年に不適切なサイトを見つけたら、親か学校の先生に伝えるよう
子どもに促して下さい。そして子どもには、例えばそのようなサイトを見たり他の人たち
を巻き込んだりしたことがわかったとしても罰しないと伝え、安心させて下さい。

また政治的プロパガンダ（宣伝活動）がどのように機能し、それによって子どもがどのよ
うな危険に陥る可能性があるかを、説明してあげて下さい。子どもは多くの場合だまさ
れやすく、書かれたメッセージを無批判に信じてしまいます。民主主義の中で私たちが
享受している多面的な自由の意味について、子どもに説明し、それが常に保証されてい
るものではないということも伝えて下さい。

インターネットと法律

保護者のための
情報

第8章　インターネットと法律
保護者のための情報

判断能力が増すにつれて若者は、なぜ特定の行動が法的な処罰の対象となるのか、正確な説明を求めるようになります。例えば、住んでいる国や州によって年齢は異なるかもしれませんが、運転免許を取るために一定の年齢で運転を学ぶと、その若者は当然ながら道路交通法を熟知するようになります。インターネットにもそうした規制法が存在します。個人の権利や肖像権、著作権法に関する一般的な法律の他に、刑法もあります。

しかし、単にマウスをクリックするだけでどんな結果がもたらされるのか、また望まない購入契約をどう解除すればよいのかを知っている人はごくわずかです。ソーシャルメディアにおいて、写真は写っている人たちへの配慮なく配信されてしまいます。

国によって、また場合によっては同じ国内でも州によって適用される法律は異なります。例えば米国では、いじめやサイバーいじめに関する法律や政策は、州によってその範囲も刑の重さも異なります。2010年に米国教育省は、いじめについての州法に関し、13の構成要素からなる枠組みを作成しました。それぞれの州は、その枠組みに基づいてどのような要素を組み合わせ、どの部分を強調するかを決めるのです[100]。

前の章で概略を述べたデジタルメディアの危険に関する法律や政策は、新たな懸念やキャンペーンに応じて常に変化し、追加されています。例として、英国政府は2017年にインターネットの安全戦略に関する国会審議用の政策提案書（グリーンペーパー）を発行しました。そして2018年5月には、文化大臣マット・ハンコックが「インターネットの無法地帯に取り組む」と表現した新たな法律の導入を見据え、さらなる政府の対策が発表されました。この時点までは、米国と同様に英国も、インターネットの安全に関する多くの領域においてインターネット業界の行動規範に頼っていたのですが、英国民はそうした規範が十分ではないとして、ますます懸念を募らせていたのです。

100　www.stopbullying.gov/laws 参照

2019年1月に、ソーシャルメディアと若者の健康及び福祉に関する英国の議員連盟（APPC）は、推奨する４つの行動の大要を書いた報告書を発行しました。

1. デジタル教育全般について。
2. 国民のためのソーシャルメディアについてのガイドラインの開発。
3. 監督と行動規範について法律上の義務を確立する。APPC の委託で行われた世論調査において、国民の80％がソーシャルメディア企業への規制強化を求めた。
4. 調査・教育プロジェクトに資金を提供する組織を設立。そして国民のために、より明確な指針を確立する。

読者の皆さんが、これから先の数年でどのような展開が起こるのか、成り行きを見守るだけでなく、知識を得て、国や学校の意思決定に影響を与えて下さることを、私たちは願っています。国家レベルで作られる法律に関してでも、子どもたちが通う学校の方針に関してでもいいのです。年齢、つまり発達段階によって子どもに必要なものが異なるということを、人々に伝えてください。

それは、担当者に手紙を書くこと、この本のような書籍を配布すること、ロビー活動をするグループに参加することなどを通して行えます。例えば ELIANT[101] というグループは、子どもの発達に応じた学校でのデジタル教育に関する EU の法律に、影響を与え続けています。共に努力することで、未来の行動の道すじを形成し、人々が業界の利益や関心よりも子どもの健康と福祉に焦点を当て、疑問の余地が残る事柄に関して慎重なアプローチをとるよう促すことが可能になります。

上に述べたように、インターネットに関する法律は変化し続けていて、１冊の本やウェブサイトだけで概要を説明するのが難しい一方、現時点における法律について概観を見ておくことは有益です。そこで EU 諸国の代表例として、この本のオリジナルが出版された国でもあるドイツを取りあげてみます。概観は国によって異なりますが、多くの要素がほとんどの国に当てはまると思います。EU の指示で、例えば一般データ保護規制（GDPR）のように、ヨーロッパ地域の法律が統一化されました。インターネットをベースにした

101　巻末 協力/支援団体リスト 参照

GoogleやFacebookといった企業は、たとえ本社が米国にあっても、ヨーロッパ諸国での事業に関してはGDPRの規則に従わなければなりません。それに加え、あるひとつの地域で作られた法律は、多くの場合他の国々のモデルとなります。ですから、以下に述べるドイツの法律についての詳細な考察が刺激となり、読者の皆さんが法律やガイドラインに精通し、それをお住いの地域に適用して下さればと願っています。

次の第8章8.1から8.4の項までの文章は、ドイツ在住の弁護士シュテファン・ファイナウアーが提供してくれたドイツの例です。

8.1 情報における自己決定の権利

個人データ（Eメールアドレス、携帯の電話番号など）や肖像権の保護は、そこだけにとどまるのではなく、それは個人の権利に関する一般の法律の重要な部分です。ここから、個人情報の自己決定に関する法律が派生してきました。この法律によると、いつどのような状況で自分の個人的なデータを公開するかは、自分が決めることなのです。

「個人データ」の法的な定義は、ドイツ連邦データ保護法§3に書かれています。「個人データ」は、本人のいわゆる個人的なこと、境遇に関すること、特定の人々について、また特定できる人々についての詳細に関するデータです。そこには文書、写真、ビデオ、音声記録が含まれます。もし許可なくそうした個人データを使用すると、つまり本人の承諾[102]なしに使用すると、処罰の対象となります[103]。被害を受けた場合、自分のデータを許可なく使用されることに関して我慢する必要はなく、いろいろな選択肢がありますが、違法に保存されたデータの削除を求めることも可能です。

個人データ ― 未来の資源？
インターネットのサイトには、訪れるたびに痕跡が残るということを、強調してもし過ぎることはありません。「個人データ」が未来の資源と言われるのには理由があります。

102　連邦データ保護法§4a
103　連邦データ保護法§43,44

あなたが「自分には隠すことなど何もない」と思ったとしても、あなたの個人データは第三者にとって高い価値を持つ可能性があるのです。その例として、利益を生む個人データの売買、情報やデータの悪用があります。後者の例としては、なりすまし犯罪があります。最も被害が少ないと思われる場合でも、誰か別の人物がオーダーした商品の代金を自分が支払わなくてはならないケースがあります。最悪の場合、不当に政府の監視下におかれます。ですから、データを探り出し保存する準備をしているだけでも、犯罪と見なされるのです[104]。

この意味で、再度述べますが Wi-Fi 接続の保護の重要性について特に指摘しておきたいと思います。もちろん、現在の法律では、ゲストや友人などの第三者が違法に音楽や映画、ゲーム等をダウンロードした場合、自動的にあなたの責任になるわけではないのですが、これは重要なことです。

104 刑法典 § 202c

8.2 インターネット刑法及び青少年保護法

現在はインターネット上で豊富な情報を見つけることが可能です。しかし、ある発言が実際になされたのかどうか、そこで議論されていることが事実かどうかを見極めることは、必ずしも可能ではありません。憲法は、表現の自由に高い価値を置いています。しかし、この権利にも限度があります。名誉の保護と、憲法上の権利である言論の自由の間の相互関係を考慮する必要があるのです。嫌悪感情や暴力的プロパガンダをインターネットで広めることは、一般の利益に反するだけでなく個人の権利を侵害するため、刑事犯罪となります。

ごく一般的に言うと、インターネットに関してのみ通用する例外的な法規、というのはありません。実生活上の法律がここでも適用されます。このことは、関連する法規の中で、さまざまな機会に国会議員によって明らかにされてきました。

例えば、「ポルノグラフィー的描写をラジオ・メディア・通信サービスを使って配信し

た[105]」人は、「ポルノグラフィー的素材の配信について[106]」に基づき処罰の対象となる、と書いてあります。

青少年保護法

加えて、議会は青少年保護法と青少年メディア保護国家条約を制定しました。子どもや若者を、インターネット上の暴力的画像やポルノグラフィー的コンテンツから守るためです。ソーシャルネットワークを使ってチェーンレターを繰り返し送りつけ、受け取った人に「そのメッセージを友人や知り合いに転送しないと災難が起こる」と脅す行為が発生しています。こうしたメッセージを転送することは強要ととらえられ、処罰の対象となる場合があります。

8.3　著作権法

著作権法は、芸術的な、もしくはオリジナルな表現形式を有する芸術作品や科学作品を保護します。著作権保護法は、作品を作った時点から有効で、登録は必要ありません。ここには写真・文章・音楽・映像データが含まれます。著作権のある素材でも「個人的な使用に限る」のであれば、コピーすることが許されます。しかしそれは著作権の規制に違反しない場合のみで、「利益目的」でコピーしてはなりません。さらに、その作品（例えば音楽ビデオ）は合法的に作られたものでなければなりません。

アップロードとダウンロード

そのような作品がインターネット上に無料で提供されている場合、それらが「自動的に」著作権フリーになっているかを、使用者として確かめる必要があります。音楽ファイルをダウンロードする際、もし不確かであれば、上演権を扱う団体に個別に尋ねるべきです。ドイツの場合は音楽著作権管理団体（GEMA）です。
日本の場合は、日本音楽著作権協会（JASRAC) です。

105　刑法典 § 184 d
106　刑法典 § 184〜184 c

無料で提供されている映画のストリーミング・サービスは、概して違法です。例えば、もしあなたがテレビ・シリーズの一部分を YouTube にアップロードしたならば、それは著作権法違反となり、おそらく刑法上の罪を問われることになるでしょう。DVD 等の著作権保護規制を無視していた場合、より一層この法律が適用されることになります。

人格権

それに加え「芸術の著作権法」もまた、特定の人格権を保護します。例えば肖像権等です。いかなる人も、自分の写真撮影を許可するかどうか、そして自分が写った写真をどのように公開するかについて決定できる、憲法上の権利を有しています。ですから、ディスコ・イベントで撮った写真のインターネット上での公開は基本的に、写っている人たちの承諾を得た場合のみ可能なのです。特にプライベートな生活に関しては、保護されています。誰かが許可なくある人の自宅で写真を撮り、それを配信してしまうと、その人の非常にプライベートな領域を侵害したことになり、刑法典 § 201a に基づいて罪に問われます。

8.4　売買契約とインターネットにおける法的責任

ほとんどの若者はすでに、インターネットを使って音楽データをダウンロードしたり、衣服その他を購入したり、インターネット・オークションに参加したりした経験があります。しかしそこにどのような売買契約が存在していたかを理解している人は、ほんのわずかです。前に述べた通り、単にマウスをクリックするだけで購入できてしまうのです。

7歳から17歳の未成年の子どもは、部分的に法的能力を有しています[107]。しかし彼らが（売買）契約を結びたい場合は、親の承諾を得る必要があります。

ただし、未成年の子どもが自分のお小遣いで何かを買う場合は（いわゆる「お小遣い条項[108]」）、契約は始めから有効となります。なぜなら、お小遣いの額には親の暗黙の承諾があるとみなされるからです。

107　民法典 § 106
108　民法典 § 110

インターネット上で若者がこうした契約を結ぶ際は、消費者保護のために特別の条件が適用されます[109]。つまり法律で特定された条件に基づいて、消費者はキャンセルの権利を行使することで購入を辞めることができます。理由は問われません。

若者が何かを販売したい場合も、親の承諾を得る必要があります。若者が商業目的でホームページを開設する場合も、親の承諾が必要です。これとは別に、テレメディア法に含まれている責任リスクについても順守する必要があります。ホームページの運営者として、若者は「サービス提供者」となります。そして自分が描写した内容だけでなく、そのホームページにコメント機能がついている、もしくはリンクが表示されている場合、そこに別の人が書き込んだ内容についても責任を問われる場合があります。

逆に、若者がソーシャルネットワーク、インターネットの掲示板、ブログに意見やコメントを挙げる際にも、注意が必要です。なぜなら、テレメディア法 § 7により、一般法がここでも適用されるからです。例えば、刑法、民法、また連邦データ保護法、憲法です。もしブログの運営者に違法なコンテンツに関する知識が無ければ、その運営者には責任が無く、関連する意見をそこにあげた若者に責任が生じることになってしまいます。

8.5　法律上の親の義務、WhatsApp を例として

2017年5月15日、バート・ハースフェルトの地方裁判所は、未成年の子どもがスマートフォンもしくは WhatsApp を使用する際の、両親の義務及びガイドラインを策定しました。それによると両親には、デジタル "スマート" メディア（スマートフォン、タブレット、アプリ、メッセージサービス）の使用に際し、監督し、管理し、危険を回避させる基本的義務、また家庭におけるメディア使用について子どもと明確な同意をかわす基本的義務があります。

その決定に際し、特に次のガイドラインが定められました。

1．両親が未成年の子どもにデジタル "スマート" 機器（例えばスマートフォン）

109　民法典 § 312 c ff.

を、継続的な個人使用のために与える場合、両親は子どもが成人するまで
その機器の使用を適切に監督する義務を負う。

2．親自身が "スマート" テクノロジーやデジタルメディアの世界についての知識
を十分に持っていない場合、自身の監督・監視義務を適切に果たすために、
必要な知識を直接また継続的に獲得しなければならない。

3．就寝時間に子どもにスマートフォンを渡したままにしておくことの、正当な
理由はない。

4．子どもや親がデジタルメディア使用に関する重大な不正行為をした場合、ま
たメディア依存症の危険がある場合は、親子でメディア使用についての取り
決めを結ぶ必要がある。

5．メッセージサービス・アプリの WhatsApp を、そのサービスの技術仕様に
基づいて使用している人は皆、自分のスマートフォンのアドレス帳に入力さ

れた連絡先情報全てを、継続的にそのサービスの背後にいる企業に送信していることになる。

6. WhatsApp を使うことによって、連絡先情報に記載されている人たちの許可なく、継続的にデータの転送を許している人は皆、その人たちに対して（処罰の対象となる）罪を犯していて、罰金を伴う警告を受ける危険がある。

7. 18歳未満の子どもがメッセージサービス・アプリ WhatsApp を使用する場合、両親は保護者として、子どもにこのメッセージサービスを使う際の危険について伝え、子どものために必要な予防策を講じる義務を負う。

これらのガイドラインに加え、法廷で協議されたケースの中には以下のような特定の条件が追加されたものもありました。

1. その子どもの母親は息子の〇〇と、メディア使用に関する合意書を取りかわす義務がある。

2. その子どもの母親は、息子〇〇のスマートフォンの連絡先情報に記載されている人たち全員に、書面で許可を取らなければならない。電話番号、名前（仮名、略式の名前、ファースト・ネーム及び／または苗字だけのものを含む）といったデータが、〇〇が WhatsApp アプリを使用することで、事業者である米国カリフォルニアの WhatsApp に継続的に送信されることについての許可である。利用規約のもとで、そうしたデータが事業者によって様々な目的のために自由に使われてしまうかもしれないから。

3. その子どもの母親は、定期的に（少なくとも月に一度）息子〇〇とスマートフォンの使用及びスマートフォンに保存されている連絡先情報について話し合う義務を負う。また、自分で息子のスマートフォンを調べ、そこに入っている連絡先情報を調べる義務も負う。連絡先に新たに追加された人については、母親が速やかに条項2の要件に従わなければならない。

4. その子どもの母親が条項2に定められた、息子○○のスマートフォンの連絡先に記載された人たち全員についての書面による合意書が証明できない場合、母親は息子○○のスマートフォンから一時的に WhatsApp アプリを削除しなければならず、連絡先に保存されている人たち全員についての合意書の存在が証明されるまでアプリを電話に入れてはならない。

5. その子どもの母親は、子どもが寝る前に速やかにスマートフォンを回収し、オンライン不使用の目覚まし時計を与えなければならない。

とりわけこの法律は、無関係な人たちの個人データ及びプライバシーを確実に守るために、親がどれだけの義務を負うかを大変明確に表しています。またこの法律は、スマートフォンの使用に関する、子どもの無知や不注意からくる行動によって危険が生じるのを防ぐものです。スマートフォンやタブレットにおけるアプリの使用でプライバシーが徐々に失われていくのは、最大のリスクです。スマートフォンや多くのアプリが「スーパー盗聴機器」と呼ばれるのは、正当で、証明できることなのです。

付記

日本版：参考図書

月刊 クーヨン 2021年 02月号

クレヨンハウス

クレヨンハウス(著)

デジタルメディアとのつき合い方、子どもの発達、乳幼児
期に大切なことバランスの良い育ちに必要なことなど提言

◉定価800円＋税／雑誌コード03225-02

北欧の森のようちえん 自然が子どもを育む

イザラ書房

リッケ・ローセングレン(著)W.美智子(訳)村上 進(訳)

子供にとって重要なのは、スクリーンの映像からではなく森
の中を歩いて出会うリアルな世界での様々な体験であるなど

◉定価2,700円＋税／ISBN978-4-7565-0145-5

メディアにむしばまれる子どもたち

教文館

田澤 雄作(著)

ベテラン小児科医が、臨床現場で出会った子どもたちの叫び
と物語をまとめ、心身の健康の回復方法などを手引き

◉定価1,300円＋税／ISBN978-4-7642-6996-5

子どもが危ない！スマホ社会の落とし穴

少年写真新聞社

内海 裕美 (著)清川 輝基 (著)

子どもをスマホ廃人にしてはいけない。子どもとメディアの関係
に長年向き合っている専門家2人による日本各地での講演録

◉定価1,600円＋税／ISBN978-4-87981-655-9

スマホが学力を破壊する

集英社新書

川島 隆太(著)

長時間使用のスマホやアプリの使用がもたらす危険性や影
響を解明し、リスクや成績に及ぼされる影響について言及

◉定価740円＋税／ISBN978-4-08-721024-8

スマホを捨てたい子どもたち
野生に学ぶ「未知の時代」の生き方　　　　　ポプラ社

山極 寿一(著)

漠然とした不安で先が見えない時代、自然やテクノロジーと
共生していくために生物としての人間らしさを考える

◉定価860円＋税／ISBN978-4-591-16613-0

ネット依存症から子どもを救う本
　　　　　　　　　　　　　　　　　　　法研

樋口 進 (監修)

依存症にさせない、またその状態に陥っている子を救い出
す方法を中高生の子どもを持つ親や教育者向けに紹介解説

◉定価1,400円＋税／ISBN978-4-86513-003-4

デジタル・デメンチア
子どもの思考力を奪うデジタル認知障害　　　講談社

M.シュピッツァー(著)小林 敏明(訳)村井 俊哉(監修)

子どものときからデジタル漬けになると、明らかに脳の健
全な生育を阻害するという脳科学の見地からの警告の書

◉定価2,200円＋税／ISBN978-4-06-218205-8

スマホ脳
　　　　　　　　　　　　　　　　　　新潮新書

アンデシュ・ハンセン(著)久山 葉子(訳)

うつ、睡眠障害、学力低下、依存症など最新の研究結果が
あぶり出す恐るべき真実とその具体的な処方箋など

◉定価980円＋税／ISBN978-4-10-610882-2

僕らはそれに抵抗できない
「依存症ビジネス」のつくられかた　　　ダイヤモンド社

アダム・オルター(著)上原 裕美子(訳)

依存症になるようデザインされているアプリやプラットフォー
ム。その手の内を知り、スクリーン漬けにならない策を探る

◉定価1,800円＋税／ISBN978-4-478-06730-7

日本版：参考資料

母子健康協会 第38回シンポジウム
触れ合い育児の大切さ…スマホ育児の弊害と対応…
https://jp.glico.com/boshi/symposium/symposium38.pdf

白川 嘉継：「0歳児 」の育て方 、ここに注意
https://toyokeizai.net/articles/-/204513

日本小児科学会こども生活環境改善委員会
乳幼児のテレビ・ビデオの長時間視聴は危険です。
https://www.jpeds.or.jp/uploads/files/20040401_TV_teigen.pdf

村田光範：ネット依存症とは何か：小児保健研究、74:78-82, 2015.
https://www.jschild.med-all.net/Contents/private/cx3chi
ld/2015/007401/017/0078-0082.pdf

日本小児連絡協議会「子どもと ICT ～子どもたちの健やかな成長を願って～」委員会
子どもと ICT (スマートフォン・タブレット端末など) の問題についての提言
https://www.jschild.med-all.net/Contents/private/cx3chi
ld/2015/007401/001/0001-0004.pdf

日本小児科医会：子どもとメディア委員会
https://www.jpa-web.org/about/organization_chart/cm_committee.html

文部科学省：小中学校における携帯電話の取扱いに関するガイドライン
https://www.mext.go.jp/b_menu/shingi/chousa/shotou/150/shiryo/
__icsFiles/afieldfile/2019/06/06/1417770-008_2_1.pdf

監視資本主義：デジタル社会がもたらす光と影
https://www.netflix.com/jp/title/81254224

参考文献

Aiken, Mary (2016), The Cyber Effect – A pioneering Cyberpsychologist explains how human behaviour changes online, John Murray

All-party Parliamentary Group (2018), Mental Health in England, All-party Parliamentary Group on a Fit and Healthy Childhood, royalpa.files.wordpress. com/2018/06/mh_report_june2018.pdf

All-party Parliamentary Group (2019), Social Media and Young People's Mental Health and Wellbeing, www.rsph.org.uk/uploads/assets/uploaded/8c1612c4-54aa-4b8d-8b61281f19fb6d86.pdf

Alter, Adam (2018), Irresistible: The Rise of Addictive Technology and the Business of Keeping Us Hooked, Penguin

Carr, Nicholas (2010), The Shallows – how the internet is changing the way we think, read and remember, Atlantic Books

Children's Well-being in UK, Sweden and Spain: The Role of Inequality and Materialism, Ipsos MORI Social Research Institute in Partnership with Dr. Agnes Nairn (2011) agnesnairn.co.uk/policy_reports/child-well-being-report.pdf

Clement, Joe and Miles, Matt (2018), Screen Schooled – two veteran teachers expose how technology overuse is making our kids dumber, Black Inc.

Dunckley, Victoria L (2015), Reset Your Child's Brain – A four-week plan to end meltdowns, raise grades, and boost social skills by reversing the effects of electronic Screen-time, New World Library

Ellyatt, W, Healthy and Happy – Children's Wellbeing in the 2020s (2017), Save Childhood Movement, available as PDF: www.savechildhood.net/wp-content/uploads/2017/11/Healthy-and-Happy-W-Ellyatt-Full-paper-2017-v2.pdf

Ellyatt, Wendy (2018), Technology and the Future of Childhood, Save

Childhood Movement, available as PDF: www.savechildhood.net/wp-content/uploads/2017/11/DIGITAL-CHILDHOOD-Save-Childhood-Movement-1.pdf

EMF Academy (last update 7 February 2019), 9 Examples of EMF Radiation In Everyday Life (With Solutions), emfacademy.com/emf-radiation-everyday-life/

Environmental Health Trust (last access March 2019), 10 Tips To Reduce Cell Phone Radiation, ehtrust.org/take-action/educate-yourself/10-things-you-can-do-to-reduce-the-cancer-risk-from-cell-phones

Experiences Build Brain Architecture, Harvard University Centre on the Developing Child, video youtu.be/VNNsN9IJkws

Freed, Richard (2015), Wired Child: Reclaiming Childhood in a Digital Age, CreateSpace Independent Publishing Platform

Goodin, Tanya (2017), OFF. Your Digital Detox for a Better Life, Ilex Press

Greenfield, Susan (2014), Mind Change – How digital technologies are leaving their mark on our brains, Random House

Harvey-Zahra, Lou (2016), Happy Child, Happy Home: Conscious Parenting and Creative Discipline, Floris Books

Hensinger, Peter and Wilke, Isabel (2016), Wireless communication technologies: new study findings confirm risks of nonionizing radiation, original German in magazine, Umwelt-medizin-gesellschaft 3/2016, available in English as PDF: ehtrust.org/wp-content/uploads/Hensinger-Wilke-2016.pdf

Hill, Katherine (2017), Left to Their Own Devices? Confident Parenting in a World of Screens, Muddy Pearl

Hofmann, Janell Burley (2014), iRules: What every tech-healthy family needs to know about selfies, sexting, gaming and growing up, Rodale Books

House, Richard (2011), Too much, too soon? Hawthorn Press

The Impacts of Banning Advertising Directed at Children in Brazil (2017), The Economist Intelligence Unit, available as PDF: agnesnairn.co.uk/policy_reports/eiu-alana-report-web-final.pdf

Kabat-Zinn, Myla and Jon (2014). Everyday Blessings: Mindfulness for parents, Piatkus

Kardaras, Nicholas (2017), Glow Kids: How screen addiction is hijacking our kids, and how to break the trance, St. Martin's Griffin

Kilbey, Elizabeth (2017), Unplugged Parenting: How to Raise Happy, Healthy Children in the Digital Age, Headline Home

Kutscher MD, Martin L (2016), Digital Kids, Jessica Kingsley Publishers

Manifesto for the Early Years: Putting Children First, Save Childhood Movement, available as PDF: www.savechildhood.net/wp-content/uploads/2016/10/PUTTING-CHILDREN-FIRST.pdf

Mayo, Ed and Nairn, Agnes (2009), Consumer Kids – How big business is grooming our children for profit, Constable

Mueller, Steve (last edit: March 31st, 2017), 30 Days without Internet – a Self-Experiment, www.planetofsuccess.com/blog/2012/30-days-without-internet-a-self-experiment

Nairn, Agnes, When Free Isn't – Business, Children and the Internet (2015), European NGO Alliance for Child Safety Online (eNACSO), available as PDF: agnesnairn.co.uk/policy_reports/free-isnt%20_040416Sm%20.pdf

Palmer, Sue (2006), Toxic Childhood – How the modern world is damaging our children and what we can do about it, Orion

Palmer, Sue (2016), Upstart – The case for raising the school starting age and providing what the under-sevens really need, Floris Books

Payne, Kim John (2010), Simplicity Parenting: Using the Extraordinary Power of Less to Raise Calmer, Happier and More Secure Kids, Ballantine Books

Pineault, Nicolas (2017), The Non-Tinfoil Guide to EMFs: How to Fix Our Stupid Use of Technology, CreateSpace Independent Publishing Platform

Price, Catherine (2018), How to Break Up With Your Phone: The 30-Day Plan to Take Back Your Life, Trapeze

Protecting your children from EMF radiation – The definitive guide, EMF Academy, emfacademy.com

Roberts, Kevin (2011), Cyber Junkie: Escape the Gaming and Internet Trap, Hazelden Trade

Ruston MD, Delaney (2019), Screen-Free Zones – How to Encourage More Face to Face Time, Tech-Talk-Tuesday blog on 'Screenagers: Growing up in the Digital Age', www.screenagersmovie.com/tech-talk-tuesdays/screen-free-zones-how-to-encourage-more-face-to-face-time

Ruston MD, Delaney (2019), Teen Sexting – What are the Laws?, Tech-Talk-Tuesday blog on 'Screenagers: Growing up in the Digital Age', www.screenagersmovie.com/tech-talk-tuesdays/teen-sexting-what-are-the-laws

Ruston MD, Delaney (2018), Groundbreaking Study Discovers an Association between Screen Time and Actual Brain Changes, Tech-Talk-Tuesday blog on 'Screenagers: Growing up in the Digital Age', www.screenagersmovie.com/tech-talk-tuesdays/groundbreaking-study-discovers-an-association-between-screen-time-and-actual-brain-changes

Schoorel, Edmond (2016), Managing Screen Time – Raising balanced children in the digital age, Floris Books

Seven Priorities for Early Years Policymaking, Save Childhood Movement, www.savechildhood.net/wp-content/uploads/2016/10/Seven-Priorities-for-Early-Years-Policymaking.pdf

Sigman, Aric (2019), A Movement for Movement – Screen time, physical activity and sleep: a new integrated approach for children. Available as PDF: www.api-play.org/wp-content/uploads/sites/4/2019/01/API-Report-A-Movement-for-Movement-A4FINALWeb.pdf

Sigman, Aric (2011), Does not Compute: Revisited – Screen Technology in Early Years Education, chapter in Too Much, Too Soon? (2011), edited by Richard House, Hawthorn Press

Sigman, Aric (2017), The downsides of being digitally native, Human Givens Journal , Vol 24, no. 2, available as PDF: eliant.eu/fileadmin/user_upload/de/pdf/Sigman.HGJ.2017.pdf

Sigman, Aric (2015), Practically minded: The benefits and mechanisms associated with a practical skills-based curriculum, available as PDF – www.rmt.org/wp-content/uploads/2018/09/Practically-Minded-2015.pdf

Sigman, Aric (2005), Remotely controlled – How television is damaging our lives, Vermilion

Social media addiction should be seen as a disease, MPs say, 18 March 2019, The Guardian www.theguardian.com/media/2019/mar/18/social-media-addiction-should-be-seen-as-disease-mps-say

Steiner Adair, Catherine Edd (2014), The Big Disconnect: Protecting Childhood and Family Relationships in the Digital Age, Harper Paperbacks

Turkle, Sherry (2015), Reclaiming Conversation – The Power of Talk in a Digital Age, Penguin Press

Turkle, Sherry (2018), Alone Together: Why We Expect More from Technology and Less from Each Other, Basic Books

Twenge, Jean M (2018), iGen: Why Today's Super-Connected Kids Are Growing Up Less Rebellious, More Tolerant, Less Happy – and Completely Unprepared for Adulthood – and What That Means for the Rest of Us, Atria books

出典 カッコ[　]の中はドイツ語の英訳です。

1. BLIKK-Medienstudie (2017). Übermäßiger Medienkonsum gefährdet Gesundheit von Kindern und Jugendlichen [Excessive media consumption endangers the health of children and adolescents]. Die Drogenbeauftragte der Bundesregierung. www.drogenbeauftragte.de　https://www.stiftung-kind-und-jugend.de/projekte/blikk-studie/

2. Lembke, G, Leipner, I (2015). Die Lüge der digitalen Bildung. Warum unsere Kinder das Lernen verlernen [The lie of digital education. Why our children unlearn learning]. Redline-Verlag, München

3. DAK-Gesundheitsreport [DAK Health Report] 2007, 2013 u. a. www.dak.de

4. Barmer GEK Arztreport [Doctor's Report] 2012, 2013, 2016, 2017 u. a. www.barmer.de/presse/infothek/studien-und-reports/arztreporte, insb. www.barmer.de unter www.t1p.de/qy7m

5. www.bfs.de unter www.t1p.de/f3vt

6. Jing Wang, Hui Su, Wei Xie, ShengyuanYu (2017). Mobile Phone Use and The Risk of Headache: A Systematic Review and Meta-analysis of Cross-sectional Studies. Scientific Report 2017, 10. www.doi.org/10.1038/s41598-017-12802-9

7. Quelle und Genehmigung: Kinderbüro Steiermark, www.kinderbuero.at

8. www.emfdata.org; insbesondere: Divan HA, Kheifets L, Obel C, Olsen J. (2008). Prenatal and Postnatal Exposure to Cell Phone Use and Behavioral Problems in Children Epidemiology 2008 Jul; 19(4): 523 529

9. Bleckmann, P (2012). Medienmündig – wie unsere Kinder selbstbestimmt mit dem Bildschirm umgehen lernen [Digital citizenship - how our children learn to handle screens confidently] Stuttgart: Klett-Cotta. Siehe auch: www.echt-dabei.de

10. miniKIM (2014). Kleinkinder und Medien. Basisuntersuchung zum Medienumgang 2- bis 5-Jähriger in Deutschland [Toddlers and digital media. Research on the media handling of 2- to 5-year-olds in Germany]. Medienpädagogischer Forschungsverbund Südwest (Hrsg.), Stuttgart. www.mpfs.de/studien/minikim-studie/2014

11. Projekt BLIKK-Medienstudie – Erste Ergebnisse (2015). Kinder und Jugendliche in der digitalen Welt stärken [First results of the BLIKK-Media project. Strengthening children and young people in the digital world]. www.drogenbeauftragte.de

12. Medienpädagogischer Forschungsverbund Südwest (MPFS) [Media Educational Research Association Southwest]. Jim-Studie 2013, 2014 und 2017. www.mpfs.de/studien/?tab=tab-18-1

13. Lembke, G (2016). Digitales verdrängt Soziales – und schwächt Jugendliche. Zur Veröffentlichung der JIM-Studie 2016 [Digital supplants social activity – and weakens teenagers. On the occasion of the publication of the JIM study 2016]. www.diagnose-funk.org/publikationen/artikel/detail?newsid=1146

14. Spitzer, M (2009). Multitasking – Nein Danke! [Multitasking – No thanks!] Nervenheilkunde 2009, Heft 12. www.medienverantwortung.de unter www.t1p.de/vlyw

15. Spitzer, M (2016). Smart Sheriff gegen Smombies [Smart sheriff against smombies]. Nervenheilkunde 2016, Heft 3. www.vfa-ev.de unter www.t1p.de/7sa9

16. Korte, M (2014). Synapsenstärkung im neuronalen Dschungel. Lernen und Hirnforschung [Synaptic strengthening in the neuronal jungle. Learning and brain research]. Südwestrundfunk SWR2 Aula, 06.07.2014

17. aus: www.abendblatt.de unter www.t1p.de/v1gz

18. Konrath, S.H. (2011). Changes in Dispositional Empathy in American College Students Over Time: A Meta-Analysis. Pers Soc Psychol Rev May 2011, 15: 180-198, first published on August 5, 2010.

19. Internetsucht im Kinderzimmer. DAK-Studie (2015). Elternbefragung zur Computernutzung bei 12- bis 17-Jährigen. Für einen gesunden Umgang mit dem Internet [Parent survey on computer use among 12- to 17-year-olds. For a healthy use of the Internet]. www.dak.de

20. www.dak.de

21. www.diagnose-funk.org unter www.t1p.de/btz7

22. Kunczik, M; Zipfel, A (2010). Computerspielsucht. Befunde der Forschung. Bericht für das Bundesministerium für Familie, Senioren, Frauen und Jugend [Computer game addiction. Findings of the research Report for the Federal Ministry for Family Affairs, Old Age Persons, Women and Youth]

23. Spitzer, M (2016) Smart Sheriff gegen Smombies. Nervenheilkunde 2016, Heft 3 (vgl.15)

24. Hensinger, P (2017). Trojanisches Pferd »Digitale Bildung« – Auf dem Weg zur Konditionierungsanstalt in einer Schule ohne Lehrer [Trojan Horse »Digital Education« – On the way to a conditioning institute in a school without teachers]. pad-Verlag, Bergkamen. Zu beziehen bei: pad-Verlag, Am Schlehdorn 6, 59192 Bergkamen; pad-verlag@gmx.net.

25. Christl, W (2014). Kommerzielle digitale Überwachung im Alltag [Commercial digital surveillance in everyday life]. Studie im Auftrag der österreichischen Bundesarbeitskammer, Wien.

26. Farke, G (Hrsg.) (2007). Eltern-Ratgeber bei Onlinesucht. Schluss mit den Diskussionen über endlose PC-Zeiten [Parent's guide to online searches. Putting an end to discussions about endless PC times]. HSO e. V., www.

onlinesucht.de

27. Alexander, A (2015). Herausforderungen und Chancen der Datentransparenz für Schülerinnen und Schüler der Sekundarstufe I – eine Studie. Wissenschaftliche Hausarbeit im Rahmen der Ersten Staatsprüfung für das Lehramt an Realschulen [Challenges and opportunities of data transparency for secondary school students – a study. Scientific paper in the context of the first state examination for teaching at secondary schools]. Eingereicht bei der Pädagogischen Hochschule Heidelberg.

28. Umfrage des Bundesverbandes Digitale Wirtschaft (BVDW) (2017). Internet-Mobbing wird als Problem unterschätzt [Internet bullying is underestimated as a problem]. www.t1p.de/x3go

29. Media Protect e. V. www.medienratgeber-fuer-eltern.de

30. Brazelton, T B; Greenspan, S I (2002). Die sieben Grundbedürfnisse von Kindern [The seven basic needs of children]. Beltz Verlag, Weinheim, Basel

31. Grimm, P; Rhein, S (2009). Gewalt im Web 2.0: Der Umgang Jugendlicher mit gewalthaltigen Inhalten und Cyber-Mobbing sowie die rechtliche Einordnung der Problematik [Violence in the Web 2.0: The handling of violent content and cyber-bullying by young people and the legal classification of the problem], Institut für Medienwissenschaft und Content GmbH

32. Saalfrank, Katharina (2006), Die Super Nanny. Glückliche Kinder brauchen starke Eltern [The Super Nanny. Happy children need strong parents]. Goldmann Verlag, Munich

33. te Wildt, Bert (2015), Digital Junkies: Internetabhängigkeit und ihre Folgen für uns und unsere Kinder. Droemer Knaur, München

34. Dr. Sommer Studie 2009 von BRAVO, Bauer Media Group, available as a PDF document in German (search for "BRAVO Dr. Sommer Studie 2009")

写真リスト

Title photo: Syda Productions / fotolia.de

Page 14/15 Photo: norndara / photocase.de

Page 17 Photo: Rina H. / photocase.de

Page 18 Photo: freeday / photocase.de

Page 40 Photo: altanaka / photocase.de

Page 22 Photo: Miss X / photocase.de

Page 24 Photo: Krauskopff / photocase.de

Page 26 Photo: southnorthernlights / photocase.de

Page 28 Photo: LBP / photocase.de

Page 30 Photo: greycoast / photocase.de

Page 31 Photo: deyangeorgiev / photocase.de

Page 32/33 Photo: southnorthernlights / photocase.de

Page 34 Photo: LBP / photocase.de

Page 36 Photo: southnorthernlights / photocase.de

Page 38 Photo: kallejipp / photocase.de

Page 41 Photo: xenia_gromak / photocase.de

Page 42 Photo: keepballin / photocase.de

Page 43 Photo: pollography / photocase.de

Page 45 Photo: greycoast / photocase.de

Page 46/47 Photo: jUliE:p / photocase.de

Page 48 Photo: jUliE:p / photocase.de

Page 51 Photo: grabba / photocase.de

Page 52 Photo: stm / photocase.de

Page 54 Photo: vanda lay / photocase.de

Page 56/57 Photo: silwan / photocase.de

Page 58 Photo: stm / photocase.de

Page 60 Photo: Bildersommer / photocase.de

Page 59 Photo: SirName / photocase.de

Page 62 Photo: LBP / photocase.de

Page 63 Photo: southnorthernlights / photocase.de

Page 64/65 Photo: as_seen / photocase.de

Page 66 Photo: Weigand / photocase.de

Page 69 Photo: criene / photocase.de

Page 71 Photo: manun / photocase.de

協力／支援団体

- AG EMF im BUND-Arbeitskreis Immissionsschutz des BUND e. V.
  www.bund.net/ueber-uns/organisation/arbeitskreise/immissionsschutz

- BUND-Arbeitskreis Gesundheit des BUND e. V.
  www.bund.net/ueber-uns/organisation/arbeitskreise/gesundheit

- Bund der Freien Waldorfschulen e. V.
  www.waldorfschule.de

- Bündnis für Humane Bildung
  www.aufwach-s-en.de

- Diagnose-Funk – Umwelt- und Verbraucherorganisation zum Schutz vor
  elektromagnetischer Strahlung e. V. (Deutschland)
  www.diagnose-funk.de

- Diagnose-Funk – Umwelt- und Verbraucherorganisation zum Schutz vor
  elektromagnetischer Strahlung（Schweiz）   www.diagnose-funk.ch

- Allianz ELIANT – Europäische Allianz von Initiativen angewandter Anthro-
  posophie   www.eliant.eu

- EUROPAEM – Europäische Akademie für Umweltmedizin e. V.
  www.europaem.eu

- Kompetenzinitiative zum Schutz von Mensch, Umwelt und Demokratie e. V.
  www.kompetenzinitiative.net

- Media Protect e. V.
  www.medienratgeber-fuer-eltern.de

- neon – Prävention und Suchthilfe Rosenheim gemeinnützige Stiftungs-
  gesellschaft mbH   www.neon-rosenheim.de

- return – Fachstelle Mediensucht
  www.return-mediensucht.de

- Stiftung für Kinder
  www.stiftung-fuer-kinder.de

- Verbraucherzentrale Südtirol
  www.consumer.bz.it/de

- Zeit ohne Netz: Eine Initiative der Handballakademie Bayern e. V.
  www.zeit-ohne-netz.de

重 要 事 項

この本には外部ウェブサイトへのリンクが記載されていますが、私たちはこれらのサイトを管理することができません。よってイザラ書房、InterActions(英語版の出版社)とdiagnose:media(オリジナルのドイツ語版の出版社)はそれらのコンテンツについての責任を負いません。リンク先のページの提供者/運営者が、そのコンテンツについての責任を常に負います。オンライン・リンク及び参考図書は、純粋にその特定のテーマに関する補助資料・文献として挙げたもので、その内容全てを支持するものではありません。

本書の中の情報やアドバイスは、著者及び編集者が細心の注意を払って仕上げたもので、メディアの専門家たち及び教育者たちによって裏付けられた内容です。しかし、読者の皆さんは本書の中の提案をどれだけ取り入れるかについて、ご自分で決めていただく必要があります。医療を必要とする健康問題について、この本をプロフェッショナルな支援の代わりに使うのはお控えください。その意味で、この本の内容に関して著者及び出版社に保証、義務、その他の法的責任はありません。

あとがき

現在は多くのことがデジタルによって機能し、デジタル化の流れは加速の一途を辿っています。コロナ禍を経て、その傾向は一気に強まりました。スマートフォンやタブレットなどのITを用いた新しいメディアは現代生活においてなくてはならないものとなっていますが、それらの心身に及ぼす影響は少なくなく、特に子どもの健康や発達に与える影響は深刻であることが、近年の研究でわかってきました（https://waldorf.jp/resource/growing001/参照）。そして、年齢が若ければ若いほど、その被害は大きくなります。

本書の編集責任者であるディアグノーゼ・メディア diagnose：media（https://www.diagnose-media.org/）は、デジタルメディアの専門家や専門機関の協力の下に、子どもの健全な発達を守るために、大人たちがテクノロジーやデジタルメディアとどのように責任を持って関わるかについて考え、そして行動していくために発足したプロジェクトです。彼らはデジタルメディアやテクノロジーの危険性を明らかにし、それのみでなく、それらとどう適切に付き合っていくかを模索しようとしています。

本書のオリジナル版（ドイツ語版）は完成まで5年以上にわたる歳月を要し、15もの専門機関の協力・援助のもと2018年秋に出版されました。初版が出版されて以来、再版を重ね、現在日本版を含め、17の言語に翻訳されています。この日本版は2019年に出版された英語訳をもとに訳出されましたが、随時オリジナルであるドイツ版と照らし合わせ、内容の確認を行いました。また、日本の読者の皆さんのために、日本語の情報リンクも適宜追加いたしました。

本書では「現実世界」の中で、いかに子どもたちが身体的、また感情的な発達を遂げていく必要があるかがまず述べられています。幼児期には全身を使った運動や指先の運動などを通して、さまざまな運動能力と言葉を発達させ、そして感覚器官を育てていくことが大切です。なぜならそのように身体が段階的に成長していくことが、脳の健全な成長と深く関わっているからです。しかし早期のデジタルの使用により、子どもは健全な発達段階を充分体験することが困難になります。また、年齢とともに培われるべき感情の発達も、現実世界での試行錯誤や社会生活におけるルールの習得などを通して初めて可能になり

ますが、それも過剰なデジタルメディアの使用のせいで阻害されます。共感力の欠如や社会性に関する発達が充分に遂げられない、といったことがその結果の一部です。

筆者たちは、そのようなデジタル使用の危険性について述べた後、自然と触れ合うこと、友情を育むこと、スポーツや楽器の演奏を楽しむことなどの、「リアルな体験」が何より大切であることに繰り返し言及しています。そして何よりも、大人が責任を持って子どもに関わることが大きな意味を持つ、と述べています。

本書の後半では、依存症についても語られています。思春期とともにスクリーンメディアの使用はどんどん増えていきますが、それに対しても私たち大人は責任があります。私が依存症の問題が深刻だと思うのは、そのことが並行して若者たちの自我の成長、自己形成の働きに大きく影響を及ぼすからです。彼らが自分の未来に想いを馳せ、自らの可能性を試そうとする時期に、その機会を自ら手放してしまうことにもなりかねないからです。そうしたことを思う時、また長期的に予想される心身への影響の大きさを思う時、行動を起こすことの必要性を強く感じます。

＊ ＊ ＊

私はある時期、集中してコンピュータと関わることがあったのですが、振り返った時に、その数年間の体験の記憶が身体の中にあまり刻印されていないことを経験し、デジタル化と身体性について考えるようになりました。私はオイリュトミー療法士（運動療法士）ですが、個人的には、デジタル化の流れは、自らの身体性の喪失の方向とどこか結びついているように感じられます。療法士として子どもたちを見ていると、不器用で体をうまく使いこなせなかった子どもたちが、自分の体を使いこなせるようになることで、どれほどそれを喜び、自分に自信がもてるようになるかをしばしば目にします。また暖かい手で子どもの身体に触れると、子どもの目が内側から生き生きとし、その子の存在に触れることができたような体験もしました。

そのように、体というのは一人の人間の存在自体と深く関わっています。そしてデジタルやテクノロジーは、そのような身体性を、そしてそこから生まれる熱の力を、私たちから奪ってしまうように感じます。現代は、指先と脳ばかりが使われ、体全体を動かす機会が著しく減少しています。そのことで、生命の力が、そして前に向かって人生を切り開いて

163

いこうとする意志の力が、弱められていることを感じます。

そのような思いを抱いていた時、アントロポゾフィー医学部門の前代表であるミヒャエラ・グレックラーさんが編纂に関わり監修を務めた本書を目にし、ぜひ日本でもこれを出版したいと考えました。幸運なことに、AIに関しての本を訳出されている内村真澄さんに翻訳をお願いすることができ、また本書の内容を深く理解し、最大限の協力を申し出てくださったイザラ書房の村上京子さんと知り合うことができ、イザラ書房から出版することが叶いました。さらには小児科医の小林啓子さんの協力を得ることができ、専門家の立場から貴重な意見を頂戴することができました。そして、4人で編集チームを組み、9か月かけて日本版の出版にこぎつけることができたことは、何よりの喜びです。また小林医師を通して、東京女子医科大学名誉教授の村田光範先生にも内容や参考資料について多くの示唆を賜り、また日本版の前書きと監修をお引き受けいただいたことも、心から感謝しています。小児科医で子どもとメディア委員会理事の内海裕美先生から帯の言葉を頂戴できたことも心強いことでした。デジタル関係の専門用語などについては、デザイナーの芹澤廣行さんにサポートしていただき、ソーシャルメディア使用に伴う危険性に関しては、精神科医師の塚原美穂子さんに適切なアドヴァイスをいただけたことも、大変ありがたいことでした。

最後に、本書『デジタル時代の子育て　年齢に応じたスマホ・パソコンとのつきあい方』のオリジナル版の編纂者・監修者であるミヒャエラ・グレックラーさんにも感謝の言葉を述べたいと思います。彼女とメールのやりとりをしている時、「子どもたちの未来のことを考えると、夜も眠れない」と語っていた彼女の言葉が私の心に深く響き、この本を日本でも出版したいと思うきっかけとなりました。彼女の情熱と支援によりこの本は17の言語に翻訳され、また日本版の出版に際しても、日本の読者に向けての序文を始め、多くの支援をいただくことができました。

この本がデジタルメディアとの付き合い方の新たな視点を提供できることを、そして、子どもたちの未来へ向けてはばたく可能性が損なわれることなく、しっかりと守られることを心から願ってやみません。

2021年9月

編集チームを代表して　石川　公子

プロフィール

● ディアグノーゼ・メディア diagnose:media

ドイツでデジタルメディアの専門家や専門機関の協力の下、親や学校その他の組織とネットワークを築きつつ子どもの健全な発達を守り、テクノロジーやデジタルメディアとどのように責任を持って関わるかについて考え、そして行動していくために発足したプロジェクト。

● ミヒャエラ・グレックラー Michaela Glöckler

医学博士 / 小児科医。1946年ドイツのシュトゥットガルトに生まれる。独語独文学と歴史を学んだあと医学を学ぶ。1988 ～ 2016年まで、スイス、ドルナッハのゲーテアヌム精神科学自由大学・医学部門代表を務める。現在は著作および国際的に講演活動を行う。

● 村田光範 Murata Mitsunori

東京女子医科大学名誉教授 / 和洋女子大学保健センター長。長年子どもの正常な成長評価や成長障害の研究や臨床に携わり、日本人小児の骨年齢測定法を開発。PC、タブレット、スマホなどのニュー・メディアが子供に及ぼす影響についての著書多数。

● 内村真澄 Uchimura Masumi

広島大学卒。2010 ～ 2017年まで横浜シュタイナー学園英語教員。現在は大人のシュタイナー教育とも言われるバイオグラフィーワークに従事。訳書に『多文化の視点から学ぶ歴史と文化～シュタイナー教育カリキュラムのために～』（精巧堂出版）など。

● 小林啓子 Kobayashi Keiko

小児科専門医 / 親子相互交流療法認定セラピスト / 日本アントロポゾフィー医学の医師会理事。教育と医学の協働に関心があり相模原市のシュタイナー学園校医も務める。一般診療クリニック勤務の他、アントロポゾフィー医学実践クリニックも開設。

● 石川公子 Ishikawa Kimiko

国際基督教大学卒。オイリュトミー療法士。横浜のアントロポゾフィー医療を実践するクリニックに勤務。またバイオグラフィーワーカーとして養成講座を開催。共訳書に『オイリュトミー療法講義』（R. シュタイナー　涼風書林）など。

デジタル時代の子育て

年齢に応じたスマホ・パソコンとのつきあい方

発行日	2021年11月25日　初版第1刷発行
編集責任	ディアグノーゼ・メディア diagnose:media
原書監修	ミヒャエラ・グレックラー Michaela Glöckler
日本版監修	村田光範
翻　訳	内村真澄
協　力	石川公子、小林啓子
装　丁	赤羽なつみ
発行者	村上京子
発行所	株式会社イザラ書房
	369-0305埼玉県児玉郡上里町神保原町569
	tel 0495-33-9216　fax 047-751-9226
	mail@izara.co.jp　http://www.izara.co.jp/
印　刷	株式会社シナノパブリッシングプレス

Printed in Japan, 2021 © Izara Shobo

ISBN978-4-7565-0152-3　C0037